BILINGÜE

Español
Inglés

Inglés
Epañol

Diseño del proyecto y coordinación editorial
Milagros Bodas, Sonia de Pedro

Juan Ignacio Luca de Tena, 15 - 28027 Madrid

Depósito legal: M-21172-2004
ISBN: 84-667-3727-8
Printed in Spain
Imprime: Huertas I. G., S. A.

Traducción
Paloma García Romero

Equipo editorial
Coordinación y edición: Milagros Bodas, Sonia de Pedro
Equipo técnico: Javier Cuéllar, Laura Llarena
Corrección: Carolina Frías
Diseño de interiores y maquetación: Ángel Guerrero
Ilustración: El Gancho (Tomás Hijo, Alberto Pieruz y José Zazo)
Cubierta: Javier Cuéllar

Índice

Introducción

ANAYA **BILINGÜE** is an easy-to-use, practical, and effective handbook. It consists of a Glossary organized in alphabetical order, Common Situations with a small guide to conversation, an Illustrated Vocabulary, a Grammatical Appendix with basic information, commonly-used Verbs and, finally, a Curiosities section full of interesting information.

WHO DOES IT TARGET?

This handbook targets people with very little or no knowledge of Spanish, beginners, whether they are students or not, teenagers or adults.

WHAT ARE ITS GOALS?

It is an essential tool, a useful guide for anyone who needs to learn basic vocabulary or solve essential lexical doubts.

HOW IS THE INFORMATION PRESENTED?

The structure of the entries is presented in the following example:

---

pagar [pahGAHR] *v. reg.* 1 **pay**

Te invito, hoy pago yo.

It's on me, I'll pay today.

As this handbook does not target a specialized public, the words are transcribed following the rules of the user's language, which makes it easier to recognize sounds and pronounce words. Moreover, the syllable which is stressed is indicated in capital letters.

A distinction is made between regular and irregular verbs. The number refers to the model conjugation to be found in the Verbs section. The model describing how pronominal verbs (those constructed with *se*) are conjugated is also included. You will find a chart next to some verbs with the most common irregular forms.

To clarify the meaning of each entry and put it in context, and example and its English translation are provided, unless reference is made to the ilustrated vocabulary as below.

---

mesa [MAYsah] *sust. fem.* **table**

il. pág. 340

When a remark needs to be made, it is indicated after ▶. Example:

---

patata [pahTAHtah] *sust. fem.* **potato**

il. pág. 346

▶ In Latin-America, *papa.*

Common expressions related to the word are also included as a subentry.
Ex.:

---

poner [poNAYR] *v. irreg.* 12 **put**

¿Has puesto la planta en la ventana?

Have you put the plant in the window?

ponerse de pie **stand up**

El bebé se puso de pie.

The baby stood up.

WHAT ELSE CAN BE FOUND?

- Some common Latin American lexical variants.
- Tables with lexical or grammatical information next to the corresponding entry.
- Pictures that illustrate certain entries.

Abreviaturas y Símbolos

sust.	sustantivo / noun
adj.	adjetivo / adjective
masc.	masculino / masculine
fem.	femenino / feminine
v.	verbo / verb
adv.	adverbio / adverb
prep.	preposición / preposition
reg.	regular / regular
irreg.	irregular / irregular
[ ]	pronunciación / pronunciation
►	observaciones / observations
il. pág.	referencia al vocabulario ilustrado / reference to illustrated vocabulary

Transcripción de sonidos

SPANISH	ENGLISH EQUIVALENT SOUNDS
a	ah (like in "father")
b	b
c + a/o/u	ka, ko, koo
c + e/i	thay, thee (with "th" pronounced like in "think" but in Latin America and Southern Spain pronounced like "s")
ch	ch
d	d
e	ay (like in "paycheck")
f	f
g + a/o/u	ga, go, goo
g + e/i	hay, hee
h	(not pronounced)
i	ee (like in "meet")
j + a/e/i/o/u	ha, hay, hee, ho, hoo
k	k
l	l
ll	y (like in "yet")
m	m
n	n
ñ	ny (like in "canyon")
o	o (like in "sports")
p	p
q	k
r	r (rolled like in Scotland)
rr	rr (strongly rolled)
s	s
t	t
u	oo (like in "food")
v	b (there is no difference between "v" and "b" in Spanish)
x	ks (like in "taxi")
y	y (like in "yet")
z	th (pronounced like in "think" but in Latin America and Southern Spain pronounced like "s")

Español Inglés

A

abajo [ahBAho] *adv.* **downstairs**

Hay un gato abajo, en el primer piso.

There is a cat downstairs, on the first floor.

---

abandonar [ahbahndoNAHR] *v. reg.* 1 **leave**

Luis ha abandonado la ciudad.

Luis has left the city.

---

abierto, a [ahBEEAYRto] *adj.* **open**

La ventana está abierta.

The window is open.

---

abrazar [ahbrahTHAR] *v. reg.* 1 **hug**

Luis abraza a su madre.

Luis is hugging his mother.

▶ It is also used with a pronoun: *abrazarse.*

---

abrigarse [ahbreeGAHRsay] *v. reg.* 4 **wrap up warmly**

Abrígate bien. Hace frío.

Wrap up well. It's cold outside.

---

abrigo [ahBREEgo] *sust. masc.* **coat**

il. pág. 332

abrir [ahBREER] *v. reg.* 3 **open**

Abre la ventana, por favor. Hace calor.

Open the window, please. It's warm in here.

abrocharse [ahbroCHAHRsay] *v. reg.* 4 **fasten**

Abróchense los cinturones de seguridad.

Please fasten your seat belts.

abuelo, a [ahBOOAYlo] *sust.* **grandfather, grandmother**

il. pág. 347

aburrido, a [ahbooREEdo] *adj.* **bored, boring**

Estoy aburrido: voy a leer un libro.

I'm bored: I'm going to read a book.

aburrirse [ahbooREERsay] *v. reg.* 4 **be bored**

Me aburro... ¡Si quieres vamos al cine!

I'm bored... If you like, we can go to the movies!

acabar [ahkahBAHR] *v. reg.* 1 **finish**

La película acaba a las 10. Nos vemos después.

The film finishes at 10. See you afterwards.

accidente [ahktheeDAYNtay] *sust. masc.* **accident**

Hemos tenido un accidente con la moto.

We had an accident with the motorcycle.

A a

aceite [ahTHAYEEtay] *sust. masc.* **oil**
il. pág. 358

acera [ahTHAYrah] *sust. fem.* **pavement, sidewalk**
il. pág. 348

acercarse [ahthayrKAHRsay] *v. reg.* 4 **come closer**
No te escucho muy bien. Acércate más.
I can't hear you very well. Come closer.

acompañar [ahkompahNYAHR] *v. reg.* 1 **come with**
Voy al médico. ¿Puedes acompañarme?
I'm going to go to the doctor. Can you come with me?

aconsejar [ahkonsayHAR] *v. reg.* 1 **advise**
Los médicos aconsejan no fumar.
Doctors advise you not to smoke.

acordarse (de) [ahkorDAHRsay] *v. irreg.* 5 **remember**
¿Te acuerdas de mí? Soy el hermano de Ana.
Do you remember me? I'm Ana's brother.

acostarse [ahkosTAHRsay] *v. irreg.* 5 **go to bed**
Mi abuelo se acuesta todas las noches a las 10.
My grandfather goes to bed every night at 10.

actor, actriz [ahkTOR] *sust.* **actor, actress**
Carmen es actriz de teatro.
Carmen is a theater actress.

actuación [ahktooahTHEEOWN] *sust. fem.* **performance**

La actuación de Carmen ha sido excelente.

Carmen's performance was excellent.

actuar [ahkTOOAHR] *v. reg.* 1 **perform**

A Carmen le gusta actuar en teatros grandes.

Carmen likes to perform in big theatres.

adelantar [ahdaylahnTAHR] *v. reg.* 1 **pass**

Ese coche ha adelantado al azul por la derecha.

That car passed the blue one on the right.

adelgazar [ahdaylgahTHAHR] *v. reg.* 1 **lose (weight)**

María ha adelgazado diez kilos este año.

María has lost ten kilos this year.

además [ahdayMAS] *adv.* **also, too**

Tengo sueño y además hace frío.

I'm tired and it's cold too.

adivinar [ahdeebeeNAHR] *v. reg.* 1 **guess**

¿Adivinas quién viene esta noche?

Guess who's coming tonight?

aduana [ahDOOAHnah] *sust. fem.* **customs**

Abrió la maleta en la aduana.

He opened his suitcase at customs.

adulto, a [ahDOOLto] *adj.* **adult**

Esta película es solo para adultos.

This film is for adults only.

advertencia [ahdbayrTAYNtheeah] *sust. fem.* **warning**

No hace caso a las advertencias del médico.

He ignores the doctor's warnings.

advertir [ahdbayrTEER] *v. irreg.* 6 **warn**

Te advierto que es muy peligroso ir allí.

I'm warning you that it's very dangerous to go there.

afeitarse [ahfayeeTAHRsay] *v. reg.* 4 **shave**

Diego se afeita por la noche.

Diego shaves in the evening.

espuma de afeitar **shaving cream**

Diego no usa espuma de afeitar.

Diego doesn't use shaving cream.

aficionado, a (a) [ahfeetheeoNAHdo] *adj.* **fan**

Julio es aficionado al fútbol.

Julio is a soccer fan.

afueras [ahFOOAYrahs] *sust. fem.* **suburbs**

Vivo en las afueras de la ciudad. ¿Y tú?

I live in the suburbs. And you?

agarrar [ahgahRRAHR] *v. reg.* 1 **hold**

Agarra la caja por este lado.

Hold the box by this side.

▶ It is also used with a pronoun: *agarrarse*.

agencia [ahHAYNtheeah] *sust. fem.* **agency**

Daniela trabaja en una agencia de viajes.

Daniela works in a travel agency.

agua [AHgooah] *sust. fem.* **water**

Yo siempre bebo agua del grifo.

I always drink tap water.

agua mineral **mineral water**

Yo prefiero el agua mineral con gas.

I prefer sparkling mineral water.

aguja [ahGOOhah] *sust. fem.* **needle**

Para coser necesitas una aguja.

You need a needle to sew.

ahora [ahOrah] *adv.* **now**

Hazlo ahora, no mañana.

Do it now, not tomorrow.

ahorrar [ahoRRAHR] *v. reg.* 1 **save (money)**

Tengo muchos gastos. No puedo ahorrar.

I have a lot of expenses. I can't save money.

A a

aire [AEEray] *sust. masc.* **air**

¡Qué aire más fresco!

The air is very cold!

aire acondicionado **air conditioning**

Hace calor. Pon el aire acondicionado.

It's hot in here. Turn on the air conditioning.

---

alarma [ahLAHRmah] *sust. fem.* **alarm**

La alarma de mi coche ha sonado esta noche.

My car alarm went off last night.

---

albergue [ahlBAYRgay] *sust. masc.* **hostel**

Por la noche dormimos en un albergue muy tranquilo.

We spent the night in a very quiet hostel.

---

alegre [ahLAYgray] *adj. masc. / fem.* **cheerful**

il. pág. 352

---

alegría [ahlayGREEah] *sust. fem.* **great, happiness**

¡Qué alegría! ¡Han llegado las vacaciones!

Great! It's vacation time!

---

alejarse (de) [ahlayHARsay] *v. reg.* 4 **go away, leave**

No quiero verte más. ¡Aléjate de mí!

I don't want to see you anymore. Go away!

---

algodón [ahlgoDON] *sust. masc.* **cotton**

Esa camisa es de algodón.

That shirt is made of cotton.

alguien [AHLgeeayn] *pron.* **someone**

Alguien está llamando a la puerta.

Someone is knocking at the door.

allí [aYEE] *adv.* **there**

Mi casa está allí, sobre la montaña.

My house is up there, on the mountain.

▶ In Latin America, it is more common to use *allá*.

almohada [ahlmoAHdah] *sust. fem.* **pillow**

il. pág. 339

almorzar [ahlmorTHAHR] *v. irreg.* 5 **have lunch**

Vamos a ir a almorzar con el jefe.

We're going to have lunch with the boss.

almuerzo [ahlMOOAYRtho] *sust. masc.* **lunch**

El almuerzo es a las dos.

Lunch is served at two.

alquilar [ahlkeeLAHR] *v. reg.* 1 **rent**

Necesito alquilar un coche.

I need to rent a car.

alquiler [ahlkeeLAYR] *sust. masc.* **rent**

El alquiler de este apartamento es muy alto.

This apartment's rent is very high.

alrededor (de) [ahlraydayDOR] *adv.* **around**

Mira a tu alrededor.

Look around you.

alto, a [AHLto] *adj.* **tall**

il. pág. 350

altura [ahlTOOrah] *sust. fem.* **height**

Tenemos que comprobar la altura de esta casa.

We need to check the height of this house.

alumno, a [ahLOOMno] *sust.* **student**

Carlos es el mejor alumno de la clase.

Carlos is the best student in the class.

amar [ahMAHR] *v. reg.* 1 **love**

Carlos ama a Cristina.

Carlos loves Cristina.

amargo, a [ahMAHRgo] *adj.* **bitter**

Esta cerveza es muy amarga.

This beer is very bitter.

ambiente [ahmBEEAYNtay] *sust. masc.* **atmosphere**

Este bar tiene muy buen ambiente.

This bar has a very nice atmosphere.

medio ambiente **environment**

Hay que cuidar del medio ambiente.

We must take care of the environment.

ambulancia [ahmbooLAHNtheea] *sust. fem.* **ambulance**

La ambulancia ha llegado enseguida a casa.

The ambulance came to my house right away.

amigo, a [ahMEEgo] *sust.* **friend**

Te presento a mi amigo Ángel.

Let me introduce you to my friend Ángel.

amistad [ahmeesTAHD] *sust. fem.* **friendship**

¡Qué bonita es la amistad!

Friendship is great!

amor [ahMOR] *sust. masc.* **love**

Él hizo todo por amor.

He did everything out of love.

amplio, a [AHMpleeo] *adj.* **large**

Este salón es muy amplio.

This sitting room is very large.

ancho, a [AHNcho] *adj.* **wide**

Las calles de esta ciudad son muy anchas.

The streets of this city are very wide.

anchura [ahnCHOOrah] *sust. fem.* **width**

Mide la anchura de la habitación.

Measure the width of the room.

andar [ahnDAHR] *v.* 1 **walk**

Andar es muy bueno para la salud.

Walking is very good for the health.

Pretérito indefinido
anduve, anduviste, anduvo, anduvimos, anduvisteis, anduvieron

andén [ahnDAYN] *sust. masc.* **platform**

il. pág. 357

anillo [ahNEEyo] *sust. masc.* **ring**

Juan le ha comprado un anillo de compromiso.

Juan bought her an engagement ring.

ánimo [AHneemo] *sust. masc.* **cheer up**

¡Ánimo! Ya llegamos.

Cheer up! We're almost there.

aniversario [ahneevayrSAHreeo] *sust. masc.* **anniversary**

Mañana es el aniversario de bodas de mis padres.

Tomorrow is my parents' wedding anniversary.

anoche [ahNOchay] *adv.* **last night**

Anoche fui a una fiesta en casa de Pablo.

Last night, I went to a party at Pablo's house.

anteayer [ahntayahYAYR] *adv.* **the day before yesterday**

Anteayer fue 8.

The day before yesterday was the 8th.

antes (de) [AHNtays] *adv.* **before**

Siempre leo antes de dormir.

I always read before going to sleep.

antiguo, a [ahnTEEgoooh] *adj.* **old**

Esta casa es muy antigua.

This house is very old.

antipático, a [ahnteePAHteeko] *adj.* **unpleasant**

El profesor es un poco antipático, ¿verdad?

The teacher is a bit unpleasant, isn't he?

anuncio [ahNOONtheeo] *sust. masc.* **advertisement**

¿Has visto el anuncio de ese coche en la televisión?

Have you seen the advertisment for that car on T.V.?

año [AHnyeeo] *sust. masc.* **year**

Este año he viajado mucho.

I have traveled a lot this year.

apagar [ahpahGAHR] *v. reg.* 1 **turn off**

¿Habéis apagado la luz antes de salir?

Did you turn off the light before leaving?

A a

aparcar [ahpahrKAHR] *v. reg.* 1 **park**

Aquí no hay sitio para aparcar.

There's no room to park here.

▶ In Latin America, *estacionar.*

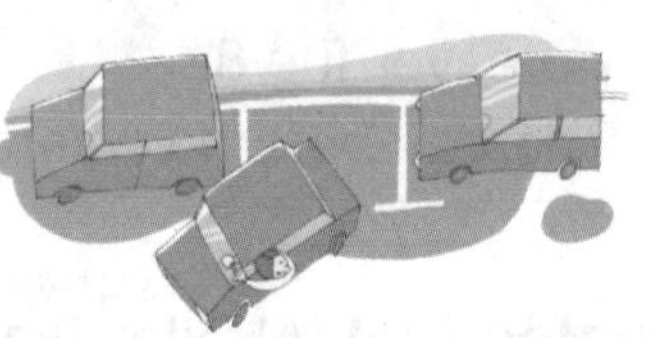

aparecer [ahpahrayTHAYR] *v. irreg.* 8 **turn up**

Ella apareció cuatro horas más tarde.

She turned up four hours later.

apartamento [ahpahrtahMAYNto] *sust. masc.* **apartment, flat**

Es un apartamento pequeño pero luminoso.

It is a small but bright apartment.

apellidarse [ahpayyeeDAHRsay] *v. reg.* 4 **last name**

¿Cómo te apellidas? ¿Pérez o Gómez?

What is your last name, Pérez or Gómez?

apellido [ahpayYEEdo] *sust. masc.* **last name**

¿Cómo se deletrea tu apellido?

How do you spell your last name?

aperitivo [ahpayreeTEEbo] *sust. masc.* **appetizer**

Vamos a tomar un aperitivo antes de comer.

We're going to have an appetizer before lunch.

apetecer [ahpaytayTHAYR] *v. irreg.* 8 **feel like**

Me apetece un café.

I feel like having a coffee.

▶ See *gustar.*

aprender [ahpraynDAYR] *v. reg.* 2 **learn**

He aprendido bastante inglés en un año.

I've learned a lot of English in one year.

aprobar [ahproBAHR] *v. irreg.* 5 **pass**

María ha aprobado el curso con muy buenas notas.

María has passed the school year with very good grades.

apuntarse [ahpoonTAHRsay] *v. reg.* 4 **sign up for**

Me he apuntado a la excursión a Segovia.

I've signed up for the trip to Segovia.

aquí [ahKEE] *adv.* **here**

¡Ven aquí ahora mismo!

Come here right now!

▶ In Latin America it is more common to use *acá*.

aquí tiene **here you are**

Su cambio son tres euros. Aquí tiene, gracias.

Your change is three euros. Here you are, thanks.

árbol [AHRbol] *sust. masc.* **tree**

il. pág. 348

arma [AHRmah] *sust. fem.* **weapon**

La lógica es tu arma.

Logic is your weapon.

arquitecto, a [ahrkeeTAYKto] *sust.* **architect**
il. pág. 354

arriba [ahRREEbah] *adv.* **up**
Mira hacia arriba. Verás un cielo estupendo.
Look up. You'll see a wonderful sky.

arruga [ahRROOgah] *sust. fem.* **wrinkle**
Ese hombre tiene la cara llena de arrugas.
That man's face is full of wrinkles.

arrugado, a [ahrrooGAHdo] *adj.* **wrinkled**
Esta falda está arrugada. Voy a plancharla.
This skirt is wrinkled. I'm going to iron it.

arte [AHRtay] *sust. fem.* **art**
Voy a estudiar arte medieval en la universidad.
I'm going to study medieval art at university.

artista [ahrTEEStah] *sust. masc. / fem.* **artist**
Miguel Ángel es un gran artista.
Michelangelo is a great artist.

asado, a [ahSAHdo] *adj.* **roasted**
¿Te gusta la carne asada o la prefieres a la plancha?
Do you prefer your meat roasted or grilled?

ascensor [ahsthaynSOR] *sust. masc.* **elevator, lift**
El ascensor está roto desde ayer.
The elevator has been out of order since yesterday.

aseo [ahSAYo] *sust. masc.* **restroom, toilets**

il. pág. 340

asignatura [ahseegnahTOOrah] *sust. fem.* **subject**

Me examino de dos asignaturas: lengua y química.

I've got exams in two subjects: English and Chemistry.

aspirina [ahspeeREEnah] *sust. fem.* **aspirin**

Me duele la cabeza. ¿Tienes una aspirina?

I have a headache. Do you have any aspirin?

atasco [ahTAHSko] *sust. masc.* **traffic jam**

He llegado tarde por el atasco.

I arrived late because of a traffic jam.

atención [ahtaynTHEEON] *sust. fem.* **warning**

¡Atención! Calle sin salida.

Warning! Dead end.

prestar atención **pay attention**

Presta atención a los profesores y estudia más.

Pay attention to the teachers and study more.

aterrizar [ahtayrreeTHAHR] *v. reg.* 1 **land**

El avión ha aterrizado a las 15:00 horas.

The airplane landed at 3 p.m.

atleta [ahtLAYtah] *sust. masc. / fem.* **athlete**

il. pág. 351

atrás [ahTRAHS] *adv.* **back**

¿Nos sentamos más atrás?

Should we sit farther back?

atropellar [ahtropayYAHR] *v. reg.* 1 **run over**

Un coche ha atropellado a un niño.

A car has run over a child.

autobús [aootoBOOS] *sust. masc.* **bus**

il. pág. 348

▶ In Latin America, *colectivo.*

parada de autobús **bus stop**

il. pág. 348

autopista [aootoPEEStah] *sust. fem.* **highway, motorway**

Si vas por la autopista es más rápido.

If you take the highway, it will be faster.

autostop [aootoSTOP] *sust. masc.* **hitchhike**

En algunos sitios es peligroso hacer autostop.

It's dangerous to hitchhike in some places.

avanzar [ahbahnTHAR] *v. reg.* 1 **make progress**

Avanzáis mucho en esta asignatura.

You're making a lot of progress in this subject.

avenida [ahbayNEEdah] *sust. fem.* **avenue**

María vive en una avenida muy ancha.

María lives on a very wide avenue.

aventura [ahbaynTOOrah] sust. fem. **adventure**

Me gustan las películas de aventuras. ¿Y a ti?

I like adventure films. What about you?

ayer [ahYAYR] *adv.* **yesterday**

Ayer llovió. Hoy está nevando.

Yesterday it rained. Today it's snowing.

ayuda [ahYOOdah] *sust. fem.* **help**

Necesito tu ayuda. No sé qué hacer.

I need your help. I don't know what to do.

ayudar [ahyooDAHR] *v. reg.* 1 **help**

Esa iglesia ayuda a los niños.

That church helps children.

azúcar [ahTHOOkahr] *sust. masc. / fem.* **sugar**

Esta tarta no tiene azúcar.

This cake has no sugar.

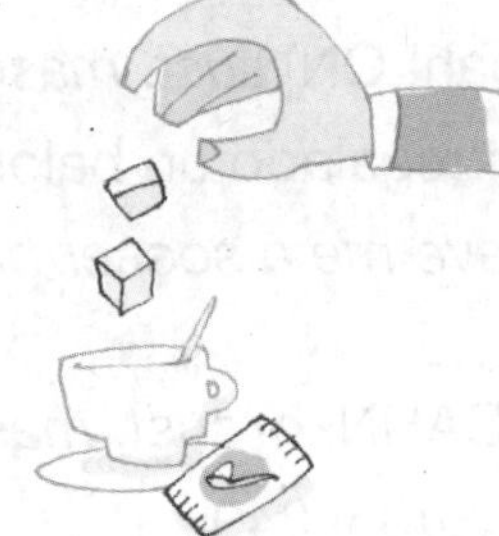

B

bailar [baeeLAHR] *v. reg.* 1 **dance**

Ellos bailan muy bien el tango.

They dance the tango very well.

bajar [baHAR] *v. reg.* 1 **go down**

Hemos bajado los 20 pisos a pie.

We went down 20 floors on foot.

bajo, a [BAho] *adj.* **low, short**

il. pág. 350

balcón [bahlKON] *sust. masc.* **balcony**

La casa tiene tres balcones y cinco ventanas.

The house has three balconies and five windows.

balón [bahLON] *sust. masc.* **ball**

Me han regalado un balón de fútbol.

They gave me a soccer ball as a gift.

banco [BAHNko] *sust. masc.* **bench / bank**

il. pág. 348 y 349

bandeja [bahnDAYhah] *sust. fem.* **tray**

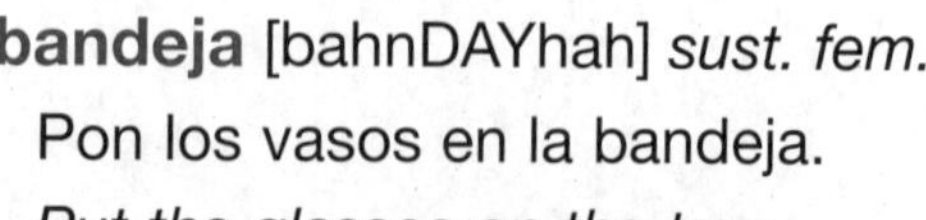

Pon los vasos en la bandeja.

Put the glasses on the tray.

bañarse [baNYAHRsay] *v. reg.* 4 **take a bath**

Me encanta bañarme por la noche.

I love taking a bath at night.

barato, a [bahRAHto] *adj.* **cheap**

Los zapatos rojos son muy baratos.

The red shoes are very cheap.

barba [BAHRbah] *sust. fem.* **beard**

il. pág. 350

barbilla [bahrBEEyah] *sust. fem.* **chin**

il. pág. 331

barrer [baRRAYR] *v. reg.* 2 **sweep**

Tenemos que barrer el suelo. Está muy sucio.

We have to sweep the floor. It's very dirty.

barrio [BAHrreeo] *sust. masc.* **neighborhood**

Este barrio tiene un parque y muchas tiendas.

This neighborhood has a park and many stores.

bastante [bahsTAHNtay] *adj. masc. / fem. y adv.* **quite a few, very much**

Hay bastantes turistas en esta ciudad.

There are quite a few tourists in this city.

Me gusta bastante el arte.

I like art very much.

basura [bahSOOrah] *sust. fem.* **garbage, rubbish**

Es necesario reciclar la basura.

It is important to recycle the garbage.

cubo de la basura **dustbin, garbage can**

il. pág. 339

beber [bayBAYR] *v. reg.* 2 **drink**

¡Qué calor! Voy a beber un vaso de agua.

It's very hot! I'm going to drink a glass of water.

bebida [bayBEEdah] *sust. fem.* **drink**

Nuestra bebida típica es el vino tinto.

Our most typical drink is red wine.

besar [baySAHR] *v. reg.* 1 **kiss**

No beses al gato. Está enfermo.

Don't kiss the cat. It's sick.

beso [BAYso] *sust. masc.* **kiss**

Dame un beso antes de irte.

Give me a kiss before you leave.

biblioteca [beebleeoTAYkah] *sust. fem.* **library**

Voy a la biblioteca para estudiar en silencio.

I'm going to the library to study in silence.

bicicleta [beetheeCLAYtah] *sust. fem.* **bicycle**

il. pág. 349

bien [BEEAYN] *adv.* **fine, well**

–¿Cómo estás? –Estoy muy bien, gracias.

–How are you? –I'm fine, thanks.

bigote [beeGOtay] *sust. masc.* **mustache**

il. pág. 350

billete [beeYAYtay] *sust. masc.* **bill, note / ticket**

Los billetes azules son de 20 euros.

The blue bills are worth 20 €.

¿Cuánto cuesta el billete de tren para Roma?

How much does the train ticket to Rome cost?

blando, a [BLAHNdo] *adj.* **soft**

Este pan está muy blando.

This bread is very soft.

blusa [BLOOsah] *sust. fem.* **blouse**

Le falta un botón a la blusa.

Your blouse is missing a button.

boca [BOkah] *sust. fem.* **mouth**

il. pág. 331

bocadillo [bokahDEEyo] *sust. masc.* **sandwich**

Voy a comer un bocadillo de queso.

I'm going to have a cheese sandwich.

boda [BOdah] *sust. fem.* **wedding**

Ellos se casaron ayer. Fue una boda maravillosa.

They got married yesterday. It was a wonderful wedding.

bolígrafo [boLEEgrahfo] *sust. masc.* **pen**

il. pág. 342

bolsa [BOLsah] *sust. fem.* **bag**

Mete todos los libros en la bolsa.

Put all the books in the bag.

bolsillo [bolSEEyo] *sust. masc.* **pocket**

Ella se metió las manos en los bolsillos y se marchó.

She put her hands in her pockets and left.

bolso [BOLso] *sust. masc.* **handbag, purse**

il. pág. 353

bombilla [bomBEEyah] *sust. fem.* **light bulb**

Compra una bombilla para el baño. Hay poca luz.

Buy a light bulb for the bathroom. It's pretty dark in there.

bonito, a [boNEEto] *adj.* **beautiful**

Esa mujer es muy bonita.

That woman is very beautiful.

▶ In Latin America, also *lindo, a.*

borrador [borrahDOR] *sust. masc.* **eraser, rubber**

il. pág. 358

bosque [BOSkay] *sust. masc.* **forest**

En este bosque hay muchos lobos.

There are many wolves in this forest.

botella [boTAYyah] *sust. fem.* **bottle**

La botella de agua se ha roto.

The bottle of water has broken.

bragas [BRAHgahs] *sust. fem.* **panties**

il. pág. 334

▶ Normally used in the plural form.

brazo [BRAHtho] *sust. masc.* **arm**

il. pág. 330

bueno, a [BOOAYno] *adj.* **good**

Este restaurante es bueno y barato.

This restaurant is good and cheap.

buhardilla [booahrDEEyah] *sust. fem.* **attic**

Mis libros están arriba, en la buhardilla.
My books are upstairs, in the attic.

buscar [boosKAHR] *v. reg.* 1 **look for**

He buscado el anillo pero no lo encuentro.
I've looked for the ring but I can't find it.

buzón [booTHON] *sust. masc.* **letterbox, mailbox**

il. pág. 349

C

cabello [kahBAYyo] *sust. masc.* **hair**

Este champú es para cabellos grasos.

This shampoo is for greasy hair.

caber [kahBAYR] *v. irreg.* 22 **fit**

La carne no cabe en el frigorífico. Está lleno.

The meat doesn't fit in the fridge. It's full.

cabeza [kahBAYthah] *sust. fem.* **head**

il. pág. 330

cada [KAHdah] *adj.* **every**

Hago gimnasia cada mañana.

I exercise every morning.

caducar [kahdooKAHR] *v. reg.* 1 **expire**

El pasaporte me caduca el viernes próximo.

My passport expires next Friday.

▶ This verb is only used in the third person.

caerse [kahAYRsay] *v.* 2 **fall**

Me he caído y me he roto un brazo.

I've fallen and broken my arm.

Presente de indicativo
Yo me caigo
Gerundio
Cayéndose
Imperativo
No te caigas No se caigan

café [kahFAY] *sust. masc.* **coffee**

Me gusta el café fuerte.

I like black coffee.

caja [KAHhah] *sust. fem.* **box**

Los zapatos están dentro de esa caja.

The shoes are in that box.

cajón [kahHON] *sust. masc.* **drawer**

il. pág. 342

calefacción [kahlayfahkTHEEON] *sust. fem.* **heating**

Apaga la calefacción. Hace mucho calor.

Turn off the heating. It's very hot in here.

calendario [kahlaynDAHreeo] *sust. masc.* **calendar**

il. pág. 342

cálido, a [KAHleedo] *adj.* **warm**

Hoy el viento es cálido.

The wind is warm today.

caliente [kahLEEAYNtay] *adj. masc. / fem.* **hot**

Me encanta tomar el té muy caliente.

I love drinking very hot tea.

callar [kahYAHR] *v. reg.* 1 **shut up**

Hablas mucho: ¡calla y escúchame!

You talk too much: shut up and listen!

calle [KAHyay] *sust. fem.* **street**

il. pág. 348

calvo, a [KAHLbo] *adj.* **bald**

il. pág. 350

calzada [kahlTHAHdah] *sust. fem.* **road**

il. pág. 349

calzoncillos [kahlthonTHEEyos] *sust. masc.* **underpants**

il. pág. 334

▶ Normally used in the plural form.

camarero, a [kahmahRAYro] *sust.* **waiter, waitress**

il. pág. 354

▶ In Latin America, *mozo, a*.

C
C

cambiar [kahmBEEAHR] *v. reg.* 1 **change / exchange**

Juan nunca cambia: siempre es el mismo.

Juan never changes: he's always the same.

Voy al banco a cambiar estos dólares por euros.

I'm going to the bank to exchange these dollars for euros.

caminar [kahmeeNAHR] *v. reg.* 1 **walk**

Me gusta caminar por la ciudad.

I like walking in the city.

camino [kahMEEno] *sust. masc.* **road**

Por ese camino llegas directamente a mi casa.

That road takes you directly to my house.

camisa [kahMEEsah] *sust. fem.* **shirt**

il. pág. 332

camiseta [kahmeeSAYtah] *sust. fem.* **T-shirt**

il. pág. 332 y 334

canción [kahnTHEEON] *sust. fem.* **song**

Esa canción es muy romántica.

That song is very romantic.

cansado, a [kahnSAHdo] *adj.* **tired**

Hoy he trabajado mucho; estoy cansada.

I've worked a lot today; I'm tired.

cantante [kahnTAHNtay] *sust. masc. / fem.* **singer**

Mi tío es un buen cantante de ópera.

My uncle is a good opera singer.

cantar [kahnTAHR] *v. reg.* 1 **sing**

Sólo canto en la ducha.

I only sing in the shower.

cara [KAHrah] *sust. fem.* **face**

il. pág. 330

caramelo [kahrahMAYlo] *sust. masc.* **candy, sweet**

He comprado caramelos de menta. ¡Me encantan!

I've bought some mint candies. I love them!

cárcel [KAHRthayl] *sust. fem.* **prison**

Juan está preso en la cárcel.

Juan is in prison.

cariñoso, a [kareeNYOso] *adj.* **loving**

Sara es muy cariñosa y dulce.

Sara is very loving and sweet.

carne [KAHRnay] *sust. fem.* **meat**

No como carne: soy vegetariano.

I don't eat meat: I'm vegetarian.

C
—
C

caro, a [KAHro] *adj.* **expensive**

Este coche es demasiado caro.

This car is too expensive.

carrera [kahRRAYrah] *sust. fem.* **race / degree**

Participa en la carrera de 1.500 m.

He's participating in the 1,500 metre race.

Mi novio ha estudiado la carrera de ingeniero.

My boyfriend has a degree in engineering.

carretera [kahrrayTAYrah] *sust. fem.* **road**

Esta carretera está llena de curvas.

This road is full of curves.

carro [KAHrro] *sust. masc.* **car**

il. pág. 349

▶ In Spain, *coche.*

carta [KAHRtah] *sust. fem.* **letter**

Me gusta recibir cartas.

I like receiving letters.

cartelera [kahrtayLAYrah] *sust. fem.* **movie guide**

Hay pocas películas nuevas en la cartelera.

There are few new films in the movie guide.

cartero, a [kahrTAYro] *sust.* **mailman, postman**

il. pág. 355

casa [KAHsah] *sust. fem.* **house**

Tienen una casa muy grande.

They have a very big house.

casado, a (con) [kahSAHdo] *adj.* **married (to)**

María está casada con José desde 1950.

María has been married to José since 1950.

casarse (con) [kahSAHRsay] *v. reg.* 4 **marry**

¿Te quieres casar conmigo?

Will you marry me?

casero, a [kahSAYro] *sust.* **landlord, landlady**

He alquilado una casa. El casero se llama Pepe.

I've rented a house. The landlord's name is Pepe.

casi [KAHsee] *adv.* **almost**

Son casi las dos (las 13:55 h).

It's almost two (1:55 p.m.).

castaño, a [kahsTAHnyo] *adj.* **chestnut-brown**

il. pág. 350

casualidad [kahsooahleeDAHD] *sust. fem.* **coincidence**

¡Qué casualidad encontrarte aquí!

It's quite a coincidence to find you here!

por casualidad **by chance**

Ana y yo nos hemos encontrado por casualidad.

Ana and I ran into each other by chance.

celebrar [thaylayBRAHR] *v. reg.* 1 **celebrate**
¿Vas a celebrar tu cumpleaños con una fiesta?
Are you going to celebrate your birthday with a party?

---

cena [THAYnah] *sust. fem.* **dinner**
La cena en este hotel es a las nueve.
Dinner at this hotel is served at nine.

---

cenar [thayNAHR] *v. reg.* 1 **have dinner**
Vamos a cenar con los Rodríguez.
We're going to have dinner with the Rodríguez family.

---

cenicero [thayneeTHAYro] *sust. masc.* **ashtray**
–¿Me pasas el cenicero?
–Can you pass the ashtray?

---

céntimo [THAYNteemo] *sust. masc.* **cent**
Cuesta 2 € y 5 céntimos.
It costs 2 € and 5 cents.

---

centro [THAYNtro] *sust. masc.* **center, centre**
El centro de la ciudad es antiguo.
The city center is old.

---

cepillo [thayPEEyo] *sust. masc.* **broom / brush**
Barre las migas con el cepillo.
Sweep up the crumbs with the broom.
Mi cepillo de dientes es verde, ¿y el tuyo?
My toothbrush is green. And yours?

cerámica [thayRAHmeekah] *sust. fem.* **pottery**

Han organizado una venta de cerámica antigua.

They've organized a sale of antique pottery.

cerca (de) [THAYRkah] *adv.* **near**

La farmacia está cerca del banco.

The pharmacy is near the bank.

cereales [thayrayAHlays] *sust. masc.* **cereal**

Los cereales son muy sanos.

Cereal is very healthy.

cerrado, a [thayRRAHdo] *adj.* **closed**

La tienda está cerrada. Abren a las dos.

The store is closed. It opens at two.

cerrar [thayRRAHR] *v. irreg.* 6 **close**

Cierra la ventana. Hace frío.

Close the window. It's cold outside.

cerveza [thayrBAYthah] *sust. fem.* **beer**

Me gusta la cerveza alemana, ¿y a ti?

I like German beer. What about you?

chándal [CHAHNdahl] *sust. masc.* **jogging suit, tracksuit**

il. pág. 333

chaqueta [chahKAYtah] *sust. fem.* **jacket**

il. pág. 332

chico, a [CHEEko] *sust. y adj.* **boy, girl / small**

Tiene dos hijos: un chico y una chica.

He has two kids: a boy and a girl.

Esta habitación es muy chica para mí.

This room is very small for me.

chiste [CHEEStay] *sust. masc.* **joke**

¡Qué chiste más divertido! Cuéntame otro.

What a funny joke! Tell me another one.

chocar (con) [choKAHR] *v. reg.* 1 **collide**

Un coche ha chocado con una moto.

A car collided with a motorcycle.

ciego, a [THEEAYgo] *adj.* **blind**

Se quedó ciego a causa del accidente.

He went blind as a result of the accident.

cielo [THEEAYlo] *sust. masc.* **sky**
El cielo está gris: va a llover
The sky is grey: it's going to rain.

cigarrillo [theegahRREEyo] *sust. masc.* **cigarette**
–¿Tienes un cigarrillo? –No, no fumo.
–Do you have a cigarette? –Sorry, I don't smoke.

circo [THEERko] *sust. masc.* **circus**
Los payasos trabajan en el circo.
Clowns work in the circus.

cirujano, a [theerooHAHno] *sust.* **surgeon**
il. pág. 355

cita [THEEtah] *sust. fem.* **appointment, date**
La cita con el médico es por la tarde.
The doctor's appointment is in the afternoon.
tener una cita **have a date**
Tengo una cita esta noche para ir al cine.
I have a date tonight to go to the movies.

ciudad [theeooDAHD] *sust. fem.* **city**
No me gusta vivir en la gran ciudad.
I don't like living in the big city.

ciudadano, a [theeoodahDAHno] *sust.* **citizen**
Los ciudadanos han de pagar impuestos.
Citizens must pay taxes.

claro, a [KLAHro] *adj.* **clear**

El día amaneció claro.

The day dawned with a clear sky.

clásico, a [KLAHseeko] *adj.* **classical**

¿Te gusta la música clásica o prefieres el rock?

Do you like classical music or do you prefer rock?

coche [KOchay] *sust. masc.* **car**

il. pág. 349

▶ In Latin America, *carro, auto.*

cocinar [kotheeNAHR] *v. reg.* 1 **cook**

Cocino mucho. Mi especialidad es la pasta.

I cook quite often. My speciality is pasta.

coger [koHAYR] *v. reg.* 2 **take**

¿Cogemos el metro o el autobús?

Should we take the subway or the bus?

▶ In Latin America, *tomar* or *agarrar.*

cola [KOlah] *sust. fem.* **line, queue / tail**

Tengo el número diez en la cola de la carnicería.

I've got number ten in the butcher's shop line.

Mi gato tiene una cola muy larga.

My cat has a very long tail.

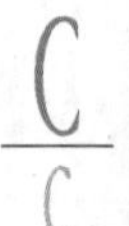

hacer cola **queue, wait in line**

Si quieres comprar ahí tienes que hacer cola.

If you want to buy something there, you have to queue.

---

colarse [koLAHRsay] *v. irreg.* 5 **jump the line, queue**

Este señor se ha colado: antes estaba detrás.

This man has jumped the line: before, he was at the back.

---

colchón [kolCHON] *sust. masc.* **mattress**

Ayer no dormí: el colchón era demasiado duro.

I didn't sleep yesterday: the mattress was too hard.

---

colectivo [kolaykTEEbo] *sust. masc.* **bus**

il. pág. 348

▶ In Spain, *autobús.*

---

colegio [koLAYheeo] *sust. masc.* **school**

Mis hijos van al mismo colegio que el tuyo.

My kids go to the same school as yours.

---

comenzar (a) [komaynTHAHR] *v. irreg.* 6 **start**

Ha comenzado a llover hace un momento.

It just started raining a moment ago.

---

comer [koMAYR] *v. reg.* 2 **eat**

Comes mucho. Vas a engordar.

You eat too much. You're going to gain weight.

comida [koMEEdah] *sust. fem.* **food / lunch**

La comida china me gusta mucho.

I really like Chinese food.

La comida es a las 14:00 horas.

Lunch is at two o'clock.

cómodo, a [KOmodo] *adj.* **comfortable**

¡Qué cómodo es este sofá!

This couch is very comfortable.

compañero, a [kompahNYAYro] *sust.* **flatmate, roommate**

Mi compañero de piso se llama Daniel.

Daniel is my flatmate.

comparar (con) [kompahRAHR] *v. reg.* 1 **compare**

Comparé los precios antes de elegir.

I compared prices before choosing.

comprar [komPRAHR] *v. reg.* 1 **buy**

Compra este libro: es muy interesante.

Buy this book: it's very interesting.

ir a la compra **do the shopping**

Normalmente voy a la compra los fines de semana.

I normally do the shopping on the weekends.

ir de compras **go shopping**

Esta tarde iré de compras por el centro.

This afternoon I'm going to go shopping downtown.

comprender [komprayn DAYR] *v. reg.* 2 **understand**

No comprendo tu pregunta.

I don't understand your question.

computadora [kompootahDOrah] *sust. fem.* **computer**

il. pág. 342

▶ In Spain, *ordenador*.

concierto [konTHEEAYRto] *sust. masc.* **concert**

El otro día escuché un concierto en este auditorio.

The other day I attended a concert in this auditorium.

conducir [kondooTHEER] *v. irreg.* 8 **drive**

Me gustaría conducir un autobús.

I'd like to drive a bus.

▶ In Latin America, *manejar*.

conductor, a [kondookTOR] *sust.* **driver**

Es un conductor muy prudente.

He's a very careful driver.

congelado, a [konhayLAHdo] *adj.* **frozen**

Me gusta el pescado congelado.

I like frozen fish.

conocer [konoTHAYR] *v. irreg.* 8 **know**

–¿Conoces a Cristina? –Sí, desde el año pasado.

–Do you know Cristina? –Yes, we met last year.

consejo [konSAYho] *sust. masc.* **advice**

Mi consejo es este: di siempre la verdad.

Here is my advice: always tell the truth.

conservar [konsayrBAHR] *v. reg.* 1 **keep, preserve**

Para conservar el vino ponlo lejos del calor.

To preserve the wine keep it away from heat.

construir [konsTROOEER] *v.* 3 **build**

Juan construye casas muy baratas.

Juan builds very inexpensive houses.

Presente de indicativo
Yo construyo Tú construyes Él construye Nosotros construimos Vosotros construís Ellos construyen
Gerundio
Construyendo
Pretérito indefinido
Él construyó Ellos construyeron

consulta [konSOOLtah] *sust. fem.* **receive patients**

¿A qué hora pasa el médico consulta?

What time does the doctor receive patients?

consumición [konsoomeeTHEEON] *sust. fem.* **drink**

Con la entrada te dan una consumición gratis.

You get a free drink with admission.

contar [konTAHR] *v. irreg.* 5 **tell / count**

Carmen me ha contado toda la historia.

Carmen has told me the whole story.

Cuenta los libros que hay.

Count how many books there are.

contenedor [kontaynayDOR] *sust. masc.* **container**

El contenedor azul es para el papel.

The blue container is for paper.

contento, a [konTAYNto] *adj.* **happy**

il. pág. 352

contestación [kontaystahTHEEON] *sust. fem.* **answer**

Le pedí permiso pero su contestación fue “no”.

I asked him permission, but his answer was “no”.

contestar [kontaysTAHR] *v. reg.* 1 **answer**

Me contestó que no podía venir conmigo.

He answered that he couldn’t come with me.

contrario, a [konTRAHreeo] *adj.* **opposite**

Lo contrario de blanco es negro.

The opposite of white is black.

contratar [kontrahTAHR] *v. reg.* 1 **hire**
Pablo no ha querido contratar a Luis.
Pablo didn't want to hire Luis.

conversación [konbayrsahTHEEON] *sust. fem.* **conversation**
He tenido una larga conversación con Alfonso.
I've had a long conversation with Alfonso.

conversar (con) [konbayrSAHR] *v. reg.* 1 **talk to**
A Pilar le gusta conversar con sus amigos.
Pilar likes talking to her friends.

convertirse (en) [konbayrTEERsay] *v. irreg.* 6 **become**
Te has convertido en un excelente abogado.
You've become an excellent lawyer.

copa [KOpah] *sust. fem.* **glass**
il. pág. 339

corazón [korahTHON] *sust. masc.* **heart**
Fumar es malo para el corazón.
Smoking is bad for the heart.

corregir [korrayHEER] *v. irreg.* 7 **correct**
El profesor tiene que corregir el examen.
The teacher has to correct the exam.

correo [koRRAYo] *sust. masc.* **mail**

Manda estas postales por correo.

Send these postcards by mail.

correo electrónico **e-mail**

¡He recibido hoy 80 correos electrónicos!

I've received 80 e-mails today!

---

correr [koRRAYR] *v. reg.* 2 **run**

No corras. No tenemos prisa.

Don't run. We are not in a hurry.

---

cortar [korTAHR] *v. reg.* 1 **cut**

He cortado una foto del periódico.

I cut a photo out of the newspaper.

▶ It is also used with a pronoun: *cortarse.*

---

corto, a [KORto] *adj.* **short**

Esa falda es muy corta.

That skirt is very short.

---

cosa [KOsa] *sust. fem.* **thing**

Tengo muchas cosas que hacer.

I have a lot of things to do.

coser [koSAYR] *v. reg.* 2 **sew**

No te olvides de coser ese botón.

Don't forget to sew on that button.

costar [kosTAHR] *v. irreg.* 5 **cost**

Estos zapatos cuestan 50 euros.

These shoes cost 50 €.

▶ *This verb is only used in the third person.*

costumbre [kosTOOMbray] *sust. fem.* **usually**

Tengo la costumbre de desayunar poco.

I usually have a light breakfast.

crear [krayAHR] *v. reg.* 1 **create**

Y Dios creó al hombre...

And God created man...

crecer [krayTHAYR] *v. irreg.* 8 **grow**

¡Qué alto está Juan! Ha crecido mucho este año.

Look how tall Juan is! He's grown a lot this year.

creer [krayAYR] *v. reg.* 2 **believe / think**

¿Crees en Dios?

Do you believe in God?

Ella cree que estás deprimida.

She thinks that you're depressed.

crimen [KREEmayn] *sust. masc.* **crime**

¿Existe el crimen perfecto?

Does the perfect crime exist?

cristal [kreesTAHL] *sust. masc.* **crystal**

Estos vasos son de cristal de Bohemia.

These glasses are made of Bohemian crystal.

cruce [KROOthay] *sust. masc.* **intersection**

La tienda está en el cruce de dos calles.

The store is at the intersection of two streets.

crucigrama [krootheeGRAHmah] *sust. masc.* **crossword**

Siempre hago el crucigrama del periódico.

I always do the crossword in the newspaper.

crudo, a [KROOdo] *adj.* **raw**

Me gustan las verduras crudas.

I like raw vegetables.

cruzar [krooTHAHR] *v. reg.* 1 **cross**

Cruza la calle por el semáforo.

Cross the street at the traffic lights.

cuaderno [kooahDAYRno] *sust. masc.* **notebook**

il. pág. 358

cuadro [KOOAHdro] *sust. masc.* **painting**
En este museo hay muchos cuadros de Picasso.
There are many paintings by Picasso in this museum.

cuarto de baño [KOOARto day BAHnyo] *sust. masc.* **bathroom**
il. pág. 341

cuchara [kooCHAHrah] *sust. fem.* **spoon**
il. pág. 339

cuchillo [kooCHEEyo] *sust. masc.* **knife**
il. pág. 339

cuento [KOOAYNto] *sust. masc.* **story**
¿Conoces el cuento de Blancanieves?
Do you know the story of Snow White?

cuerda [KOOAYRdah] *sust. fem.* **rope, string**
Ata la caja con una cuerda.
Tie up the box with rope.

cuidado [kooeeDAHdo] *interj.* **beware**
No pasar. ¡Cuidado con el perro!
No trespassing. Beware of the dog!

cuidar (de) [kooeeDAHR] *v. reg.* 1 **take care**
María cuida de su madre noche y día.
María takes care of her mother day and night.

culpable [koolPAHblay] *adj. masc. / fem.* **guilty**

Fue declarado culpable en el juicio.

He was declared guilty in the trial.

cumpleaños [koomplayAHnyos] *sust. masc.* **birthday**

¿Hoy es tu cumpleaños? ¡Felicidades!

It's your birthday today? Happy birthday!

cuñado, a [kooNYAHdo] *sust.* **brother-in-law, sister-in-law**

il. pág. 347

curar [kooRAHR] *v. reg.* 1 **heal**

El médico intenta curar a sus pacientes.

The doctor tries to heal his patients.

curioso, a [kooREEOso] *adj.* **curious**

Ana es muy curiosa. Quiere saberlo todo.

Ana is very curious. She wants to know everything.

curva [KOORbah] *sust. fem.* **curve**

¡Atención! ¡Curva peligrosa!

Beware! Dangerous curve!

curso [KOORso] *sust. masc.* **course**

El curso empieza en septiembre y termina en junio.

The course starts in September and finishes in June.

D

dar [DAHR] *v. irreg.* 17 **give**

Dame ese libro, por favor.

Give me that book, please.

dato [DAHto] *sust. masc.* **(piece of) information**

Introduzca sus datos personales en el formulario.

Fill in the form with your personal information.

debajo (de) [dayBAHho] *adv.* **under**

El gato está debajo de la mesa.

The cat is under the table.

deber [dayBAYR] *v. reg.* 2 **should**

Debes estudiar más.

You should study more.

deberes [dayBAYrays] *sust. masc.* **homework**

El profesor dice que hoy no tenemos deberes.

The teacher said that we don't have any homework today.

débil [DAYbeel] *adj. masc. / fem.* **weak**

María está débil y enferma.

María feels weak and ill.

decidir [daytheeDEER] *v. reg.* 3 **decide**

Decidió casarse a los 50 años.

He decided to get married at the age of 50.

decir [dayTHEER] *v. irreg.* 11 **say**

¿Qué has dicho? No te he entendido.

What did you say? I didn't understand you.

decisión [daytheeSEEON] *sust. fem.* **decision**

He tomado la decisión de cambiar de trabajo.

I've taken the decision to change jobs.

declarar [dayklahRAHR] *v. reg.* 1 **declare**

Han declarado la guerra.

They have declared war.

dedo [DAYdo] *sust. masc.* **finger**

il. pág. 330

dedicarse (a) [daydeeKAHRsay] *v. reg.* 4 **do**

¿A qué te dedicas?

What do you do?

dejar [dayHAHR] *v. reg.* 1 **lend / leave / let**

¿Me dejas tu libro?

Can you lend me your book?

Juan ha dejado a su novia.

Juan has left his girlfriend.

Mi padre no me deja salir esta noche.

My father isn't letting me go out tonight.

delante (de) [dayLAHNtay] *adv.* **in front (of)**

El ordenador está delante de mí.

The computer is in front of me.

deletrear [daylaytrayAHR] *v. reg.* 1 **spell**

Deletrea "casa": ce, a, ese, a.

Spell "casa": c-a-s-a.

delgado, a [daylGAHdo] *adj.* **thin**

il. pág. 350

demasiado, a [daymahSEEAHdo] *adj. y adv.* **too much**

Hay demasiado ruido en esa cafetería.

There is too much noise in that cafeteria.

Gastas demasiado.

You spend too much.

dentista [daynTEEStah] *sust. masc. / fem.* **dentist**

Me duele la muela. Debo ir al dentista.

I have a toothache. I need to go to the dentist.

dentro (de) [DAYNtro] *adv.* **in**

El libro está dentro del cajón.

The book is in the drawer.

depende (de) [dayPAYNday] *v.* **depend (on)**

Ahora todo depende de ti.

Now it all depends on you.

deportista [dayporTEEStah] *sust. masc. / fem.* **sportsman**

Diego fue muy deportista en su juventud.

Diego was a keen sporstman in his youth.

deprimido, a [daypreeMEEdo] *adj.* **depressed**

il. pág. 352

deprisa [dayPREEsah] *adv.* **fast, quickly**

Esa moto va deprisa.

That motorcycle goes fast.

derecho, a [dayRAYcho] *adj.* **right**

Juan metió la carta en su bolsillo derecho.

Juan put the letter in his right pocket.

a la derecha **on the right**

El banco está en la primera calle a la derecha.

The bank is on the first street on the right.

Derecho [dayRAYcho] *sust. masc.* **law**

Carmen estudia Derecho en la universidad.

Carmen studies law at university.

desaparecer [daysahpahrayTHAYR] *v. irreg.* 8 **disappear**

El libro ha desaparecido… ¿Dónde está?

The book has disappeared... Where is it?

desastre [daySAHStray] *sust. masc.* **disaster**

¡Qué desastre! He roto los platos.

What a disaster! I've broken the plates.

desayunar [daysahyooNAHR] *v. reg.* 1 **have breakfast**

¿A qué hora desayunas?

What time do you have breakfast?

desayuno [daysahYOOno] *sust. masc.* **breakfast**

Elena siempre viene a la hora del desayuno.

Elena always comes at breakfast time.

descansar [dayskahnSAHR] *v. reg.* 1 **rest**

Descanso los fines de semana.

I rest at weekends.

descanso [daysKAHNso] *sust. masc.* **break**

Necesito un descanso. ¡Estoy muy cansado!

I need a break. I'm very tired!

describir [dayskreeBEER] *v. reg.* 3 **describe**

Describe tu ciudad: ¿cómo es?

Describe your city. What is it like?

descubrir [dayskooBREER] *v. reg.* 3 **discover**

Fleming descubrió la penicilina.

Fleming discovered penicillin.

desear [daysayAHR] *v. reg.* 1 **wish**
Te deseo mucha felicidad.
I wish you lots of happiness.

deseo [daySAYo] *sust. masc.* **wish**
Mi mayor deseo es vivir en una isla.
My greatest wish is to live on an island.

desmayarse [daysmahYAHRsay] *v. reg.* 4 **faint**
Me he desmayado por el calor.
I fainted because of the heat.

desnudo, a [daysNOOdo] *adj.* **naked**
¡Vístete! No andes desnudo.
Get dressed! Don't wander around naked.

despacio [daysPAHtheeo] *adv.* **slowly**
Conduce despacio. No tenemos prisa.
Drive slowly. We're not in a hurry.

despacho [daysPAHcho] *sust. masc.* **office**
El despacho del director es el número 12.
The director's office is number 12.

despertador [dayspayrtahDOR] *sust. masc.* **alarm clock**
He llegado tarde porque el despertador no ha sonado.
I arrived late because my alarm clock didn't go off.

despertarse [dayspayrTAHRsay] *v. irreg.* 6 **wake up**

Me despierto muy temprano cada mañana.

I wake up very early every morning.

después (de) [daysPOOAYS] *adv.* **after**

Después de clase voy a casa.

I'm going home after class.

detener [daytayNAYR] *v. irreg.* 9 **arrest**

El policía ha detenido al ladrón.

The policeman has arrested the thief.

detrás (de) [dayTRAHS] *adv.* **behind**

El armario está detrás de la puerta.

The wardrobe is behind the door.

día [DEEah] *sust. fem.* **day**

Me acuerdo del día en que te conocí.

I remember the day I met you.

de día **during the day**

A ella le gusta más estudiar de día que de noche.

She prefers studying during the day rather than at night.

diálogo [DEEAHlogo] *sust. masc.* **dialogue**

El diálogo es la solución a los conflictos.

Dialogue is the solution to conflicts.

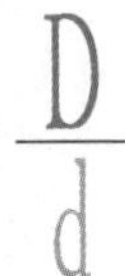

dibujar [deebooHAHR] *v. reg.* 1 **draw**

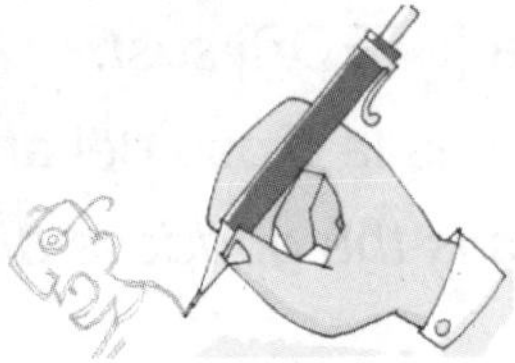

Dibuja con lápices de colores.

He draws with crayons.

dibujo [deeBOOho] *sust. masc.* **picture**

Los dibujos que ilustran este cuento son magníficos.

The pictures that illustrate this story are wonderful.

dibujos animados **cartoons**

Me gusta todo tipo de dibujos animados.

I like all kinds of cartoons.

dieta [DEEAYtah] *sust. fem.* **diet**

Juan ya no está a dieta.

Juan is not on a diet anymore.

diferencia [deefayRAYNtheeah] *sust. fem.* **difference**

No veo diferencia en el color sino en el tamaño.

I see a difference in size, but not in color.

difícil [deeFEEtheel] *adj. masc. / fem.* **difficult, hard**

Este ejercicio es difícil. No sé cómo hacerlo.

This exercise is difficult. I don't know how to do it.

dinero [deeNAYro] *sust. masc.* **money**

¿Me prestas dinero?

Can you lend me some money?

▶ In Latin America, *plata.*

D
d

dios, a [DEEOS] *sust.* **god, goddess**

Venus es la diosa del amor.

Venus is the goddess of love.

dirección [deeraykTHEEON] *sust. fem.* **address**

No sé dónde vives, dame tu dirección.

I don't know where you live, give me your address.

disculpar [deeskoolPAHRsay] *v. reg.* 1 **apologize, be sorry**

Discúlpame por el retraso.

I apologize for the delay.

disfrutar (de) [deesfrooTAHR] *v. reg.* 1 **enjoy**

Disfruté mucho de la película. Me encantó.

I enjoyed the film very much. I loved it.

divertido, a [deevayrTEEdo] *adj.* **funny**

No paré de reír. Era una obra muy divertida.

I didn't stop laughing. It was a very funny play.

divertirse [deevayrTEERsay] *v. irreg.* 6 **have fun**

Me he divertido mucho en la fiesta.

I really had fun at the party.

divorciarse [deevorTHEEAHRsay] *v. reg.* 4 **get divorced**

Laura y su marido decidieron divorciarse.

Laura and her husband decided to get divorced.

docena [doTHAYnah] *sust. fem.* **dozen**

Una docena de huevos, por favor.

A dozen eggs, please.

media docena **half a dozen**

Media docena de huevos, por favor.

Half a dozen eggs, please.

---

doler [doLAYR] *v. irreg.* 5 **ache**

Me duele la cabeza.

I have a headache.

▶ See *gustar.*

---

dolor [doLOR] *sust. masc.* **ache, pain**

Tengo dolor de cabeza. ¿Tienes una aspirina?

I have a headache. Do you have any aspirin?

---

dormir [dorMEER] *v. irreg.* 5 **sleep**

Pablo duerme 8 horas al día.

Pablo sleeps 8 hours a day.

---

dormitorio [dormeeTOreeo] *sust. masc.* **bedroom**

il. pág. 341

---

ducha [DOOchah] *sust. fem.* **shower**

il. pág. 341

---

ducharse [dooCHAHRsay] *v. reg.* 4 **shower**

Ellos prefieren ducharse por la noche.

They prefer showering at night.

dueño, a [DOOAYnyo] *sust.* **owner**

Mi cuñado es el dueño de la empresa.

My brother-in-law is the owner of the company.

---

dulce [DOOLthay] *adj. masc. / fem.* **sweet**

Tomo el café muy dulce, con mucha azúcar.

I like very sweet coffee, with a lot of sugar.

---

durar [dooRAHR] *v. reg.* 1 **last**

La clase dura dos horas.

The class lasts two hours.

▶ This verb is only used in the third person.

---

duro, a [DOOro] *adj.* **hard**

Este pan está duro.

This bread is hard.

E

echar [ayCHAHR] *v. reg.* 1 **add**

No echo sal a las comidas.

I don't add salt to my food.

echar de menos **miss**

Echo de menos a mi familia.

I miss my family.

---

edad [ayDAHD] *sust. fem.* **old (age)**

¿Qué edad tienes? 28 años.

How old are you? 28.

---

edredón [aydrayDON] *sust. masc.* **comforter, duvet**

il. pág. 339

---

educación [aydookahTHEEON] *sust. fem.* **education**

El gobierno invierte mucho en educación.

The government invests a lot in education.

---

ejemplo [ayHAYMplo] *sust. masc.* **example**

Escribid un ejemplo de cada cosa.

Write an example of each thing.

por ejemplo **for example**

Piensa, por ejemplo, en un animal.

Think of an animal, for example.

E e

ejercicio [ayhayrTHEEtheeo] *sust. masc.* **exercise**
Tenéis que hacer los ejercicios.
You have to do the exercises.
hacer ejercicio **get exercise**
Es bueno hacer ejercicio.
It's good to get exercise.

elección [aylaykTHEEON] *sust. fem.* **choice**
No sé qué hacer: es una elección difícil.
I don't know what to do: it's a difficult choice.
elecciones **elections**
Mañana hay elecciones municipales.
There are local elections tomorrow.

electricista [aylayktreeTHEEStah] *sust. masc. / fem.* **electrician**
il. pág. 355

elegante [aylayGAHNtay] *adj. masc. / fem.* **elegant**
Este vestido es muy elegante.
This dress is very elegant.

elegir [aylayHEER] *v. irreg.* 7 **choose**
Elige tú el restaurante para cenar.
Choose a restaurant for dinner.

embarazada [aymbahrahTHAHdah] *adj. fem.* **pregnant**
María está embarazada de ocho meses.
María is eight months pregnant.

embarcar [aymbahrKAHR] *v. reg.* 1 **board**

¿A qué hora embarcamos?

What time do we board?

empezar [aympayTHAHR] *v. irreg.* 6 **start**

¿Ha empezado ya la película?

Has the film already started?

empleo [aymPLAYo] *sust. masc.* **job / use**

Juan ha conseguido por fin un empleo.

Juan has finally got a job.

Hay que evitar el empleo de armas nucleares.

The use of nuclear weapons must be avoided.

enamorarse (de) [aynahmoRAHRsay] *v. reg.* 4 **fall in love**

Rosa se ha enamorado de su vecino.

Rosa has fallen in love with her neighbor.

encantado, a (con) [aynkahnTAHdo] *adj.* **very happy**

Estoy encantada con mi nuevo coche.

I'm very happy with my new car.

encantador, a [aynkahntahDOR] *adj.* **charming**

Tu novio es encantador.

Your boyfriend is charming.

encantar [aynkahnTAHR] *v. reg.* 1 **love**

Nos encanta la fruta.

We love fruit.

▶ See *gustar*.

encendedor [aynthayndayDOR] *sust. masc.* **lighter**

¿Tienes un encendedor?

Do you have a lighter?

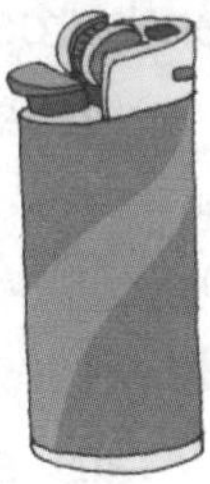

encender [aynthaynDAYR] *v. irreg.* 6 **turn on**

Enciende la luz, por favor.

Turn on the light, please.

enchufe [aynCHOOfay] *sust. masc.* **plug, socket**

En el baño hay dos enchufes.

There are two sockets in the bathroom.

encima (de) [aynTHEEmah] *adv.* **on**

El libro está encima de la mesa.

The book is on the table.

encontrar [aynkonTRAHR] *v. irreg.* 5 **find**

He encontrado el libro que perdí.

I've found the book I lost.

> Encontrarse bien / mal
> *Feel good / not feel good*
> –¿Cómo te encuentras?
> *–How are you?*
> –Me encuentro bien / mal / estupendamente / fatal.
> *–I feel good / I don't feel good / I feel great / I feel terrible.*

enfadado, a [aynfahDAHdo] *adj.* **be mad (at)**
il. pág. 352
▶ This word is used with the verb *estar.*

enfadarse (con) [aynfahDAHRsay] *v. reg.* 4 **get angry**
Marta se ha enfadado conmigo. No me habla.
Marta got angry with me. Now, she isn't talking to me.
▶ In Latin America it is more common to use *enojarse.*

enfermedad [aynfayrmayDAHD] *sust. fem.* **disease**
La malaria es una enfermedad horrible.
Malaria is a horrible disease.

enfermo, a [aynFAYRmo] *adj.* **sick**
Estoy enferma. Me encuentro mal.
I'm sick. I don't feel good.

enfrente (de) [aynFRAYNtay] *adv.* **in front (of), opposite**
El banco está enfrente de mi casa.
The bank is opposite my house.

engañar [ayngahNYAR] *v. reg.* 1 **cheat, fool**
Eso es mentira. Me engañas.
That's not true. You're trying to fool me.

engordar [ayngorDAHR] *v. reg.* 1 **gain weight**
Comes muchas grasas. Vas a engordar.
You eat too much fat. You're going to gain weight.

enhorabuena [aynoraBOOAYnah] *sust. fem.* **congratulations**

¿Os habéis casado? Enhorabuena.

You got married? Congratulations!

enojarse (con) [aynoHAHRsay] *v. reg.* 4 **get angry**

El profesor se ha enojado con ella.

The teacher got angry with her.

enseguida [aynsayGEEdah] *adv.* **right away**

Ven enseguida a casa.

Come home right away.

enseñar [aynsayNYAHR] *v. reg.* 1 **teach / show**

Enseño historia en una escuela.

I teach history at one school.

La dependienta me enseñó varios vestidos.

The saleswoman showed me several dresses.

entender [ayntaynDAYR] *v. irreg.* 6 **understand**

No entiendo nada. ¿Puede repetir?

I don't understand anything. Can you say it again?

entonces [aynTONthays] *adv.* **so**

Entonces, ¿nos vemos mañana?

So, see you tomorrow?

entrada [aynTRAHdah] *sust. fem.* **entrance / ticket**

Allí está la entrada principal de la casa.

The main entrance of the house is there.

He comprado las entradas del cine.
I've bought the tickets for the film.

entrar [aynTRAHR] *v. reg.* 1 **get in, go into**
Entra en la habitación y cierra la ventana.
Go into the bedroom and close the window.

entrevista [ayntrayBEEStah] *sust. fem.* **interview**
Tengo una entrevista de trabajo.
I have a job interview.

envase [aynBAHsay] *sust. masc.* **container**
El envase de la leche es de cristal.
The milk container is made of glass.

envejecer [aynbayhayTHAYR] *v. irreg.* 8 **get old**
Mi madre ha envejecido en poco tiempo.
My mother has gotten old quickly.

enviar [aynBEEAHR] *v. reg.* 1 **send**
¿Has enviado la carta?
Did you send the letter?

envidiar [aynbeeDEEAHR] *v. reg.* 1 **envy**
Tu hermano nos envidia.
Your brother envies us.

equipo [ayKEEpo] *sust. masc.* **team**

El Real Madrid es un equipo de fútbol.

Real Madrid is a football team.

equivocación [aykeebokahTHEEON] *sust. fem.* **mistake**

Ha sido una equivocación mía. Perdón.

It's my mistake, sorry.

equivocarse [aykeeboKAHRsay] *v. reg.* 4 **make a mistake**

Me he equivocado en este ejercicio.

I've made a mistake in this exercise.

error [ayRROR] *sust. masc.* **mistake**

Tienes tres errores en tu examen.

You have three mistakes in your exam.

escalera [ayskahLAYrah] *sust. fem.* **stair**

il. pág. 340

escalón [ayskahLON] *sust. masc.* **step**

Cuidado con el escalón.

Watch the step.

escaparate [ayskahpahRAHtay] *sust. masc.* **shop window**

Me encanta el escaparate de esta tienda.

I love this shop window.

escaparse (de) [ayskahPAHRsay] *v. reg.* 4 **escape**

El ladrón se ha escapado de la cárcel.

The thief has escaped from prison.

escenario [aysthayNAHreeo] *sust. masc.* **stage**

El escenario de este teatro es grande.

This theatre has a big stage.

escoba [aysKObah] *sust. fem.* **broom**

Voy a barrer con esta escoba.

I'm going to sweep with this broom.

esconderse [ayskonDAYRsay] *v. reg.* 4 **hide**

El niño se escondió debajo de la cama.

The boy hid under the bed.

escribir [ayskreeBEER] *v. reg.* 3 **write**

Este escritor sólo escribe novelas.

This author only writes novels.

escritor, a [ayskreeTOR] *sust.* **writer**

il. pág. 354

escuchar [ayskooCHAHR] *v. reg.* 1 **listen**

No me gusta escuchar música por la noche.

I don't like listening to music at night.

E e

escuela [aysKOOAYlah] *sust. fem.* **school**
A mi hijo le encanta ir a la escuela.
My son loves going to school.

escultura [ayskoolTOOrah] *sust. fem.* **sculpture**
Botero hace esculturas muy grandes.
Botero makes very big sculptures.

espalda [aysPAHLdah] *sust. fem.* **back**
il. pág. 330

espejo [aysPAYho] *sust. masc.* **mirror**
il. pág. 340

esperar [ayspayRAHR] *v. reg.* 1 **wait**
Espero el autobús.
I'm waiting for the bus.

esponja [aysPONhah] *sust. fem.* **sponge**
Me ducho con jabón y esponja.
I use soap and a sponge in the shower.

esposo, a [aysPOso] *sust.* **husband, wife**
il. pág. 347

esquina [aysKEEnah] *sust. fem.* **corner**
El bar está en la esquina.
The bar is on the corner.

E e

estación [aystahTHEEON] *sust. fem.* **season / station**
¿Qué estación del año te gusta más?
What season do you like most?
il. pág. 357

Estaciones del año
primavera *spring*
verano *summer*
otoño *fall, autumn*
invierno *winter*

estacionar [aystahtheeoNAHR] *v. reg.* 1 **park**
Está prohibido estacionar en esta calle.
It's forbidden to park on this street.
▶ In Spain, *aparcar* is more frequent.

estantería [aystahntayREEah] *sust. fem.* **shelf**
il. pág. 339

estar [aysTAHR] *v. irreg.* 16 **be**
¿Dónde está el supermercado?
Where is the supermarket?

estómago [aysTOmahgo] *sust. masc.* **stomach**
il. pág. 330

estornudar [aystornooDAHR] *v. reg.* 1 **sneeze**
Tengo gripe y estornudo una y otra vez.
I have the flu and I'm sneezing all the time.

estrecho, a [aysTRAYcho] *adj.* **narrow**
Esta calle es muy estrecha.
This street is very narrow.

estrella [aysTRAYyah] *sust. fem.* **star**
Hay muchas estrellas en el cielo.
There are many stars in the sky.

estudiante [aystooDEEANtay] *sust. masc. / fem.* **student**
Soy estudiante de español.
I'm a student of Spanish.

estudiar [aystooDEEAHR] *v. reg.* 1 **study**
Estudio en la universidad.
I'm studying at university.

europeo, a [ayooroPAYo] *adj.* **European**
Soy de Portugal: soy europeo.
I'm from Portugal: I'm European.

evolucionar [aybolootheeoNAHR] *v. reg.* 1 **evolve**
La ciencia ha evolucionado mucho.
Science has evolved very much.

examen [aykSAHmayn] *sust. masc.* **exam**
He hecho el examen de matemáticas.
I've taken the math exam.

examinarse [ayksahmeeNAHRsay] *v. reg.* 4 **take an exam**

¿Te has examinado ya?

Have you taken the exam yet?

excepto [ayksTHAYPto] *prep.* **except**

Todos excepto tú: ¡venid aquí!

Everybody except you: come here!

excursión [ayksKoorSEEON] *sust. fem.* **excursion, trip**

Vamos de excursión a Granada.

We're going on a trip to Granada.

explicar [aykspleeKAHR] *v. reg.* 1 **explain**

¿Puede explicarme cómo ir a esta calle?

Can you explain how to get to this street?

exposición [aykspose eTHEEON] *sust. fem.* **exhibition**

Hay una exposición muy buena en el museo.

There is a very good exhibition at the museum.

expulsar (de) [ayksp oolSAHR] *v. reg.* 1 **expel**

A Juan lo han expulsado del colegio.

Juan has been expelled from school.

exterior [aykstayREEOR] *adj. masc. / fem.* **outside**

Hay un jardín en la parte exterior de la casa.

There is a garden outside the house.

extranjero, a [aykstrahnHAYro] *adj. y sust. masc.* **foreigner / abroad**

No somos de aquí: somos extranjeros.

We're not from here: we're foreigners.

Voy al extranjero de vacaciones.

I'm going on vacation abroad.

extraño, a [ayksTRAHnyo] *adj.* **strange**

No encuentro el libro. ¡Qué extraño!

I can't find the book. How strange!

F

fácil [FAHtheel] *adj. masc. / fem.* **easy**

Este ejercicio es fácil de resolver.

This exercise is easy to solve.

factura [fahkTOOrah] *sust. fem.* **bill, invoice**

Necesito la factura del hotel.

I need the hotel bill.

falda [FAHLdah] *sust. fem.* **skirt**

il. pág. 333

falso, a [FAHLso] *adj.* **false**

Las noticias de la radio son falsas.

The news on the radio is false.

famoso, a [faMOso] *adj.* **famous**

Dalí es un artista muy famoso.

Dalí is a very famous artist.

farola [fahROlah] *sust. fem.* **streetlight**

il. pág. 348

fatal [fahTAHL] *adj. masc. / fem.* **very bad**

He hecho fatal el examen.

I've done a very bad exam.

favor [fahBOR] *sust. masc.* **favor, favour**

¿Puedes hacerme un favor?

Can you do me a favor?

fecha [FAYchah] *sust. fem.* **date**

Escribe la fecha en la carta.

Write the date on the letter.

felicidad [fayleetheeDAHD] *sust. fem.* **happiness**

La felicidad existe si tú quieres.

Happiness exists if you want it to.

felicidades **congratulations, happy birthday**

¡Muchas felicidades!

Happy birthday!

feliz [fayLEETH] *adj. masc. / fem.* **happy**

Acaba de ser madre: está muy feliz.

She's just had a baby: she's very happy.

feo, a [FAYo] *adj.* **ugly**

Ese chico me parece muy feo.

That boy looks very ugly to me.

fiesta [FEEAYStah] *sust. fem.* **party**

¿Vas a la fiesta del viernes?

Are you going to the party on Friday?

fijarse (en) [feeHAHRsay] *v. reg.* 4 **pay attention**

Me fijo siempre en los ojos de la gente.

I always pay attention to people's eyes.

---

fila [FEElah] *sust. fem.* **row**

Estoy en la primera fila del cine.

I'm in the first row of the movie theater.

---

filete [feeLAYtay] *sust. masc.* **steak**

No me gusta ese filete. Está crudo.

I don't like that steak. It's raw.

---

firmar [feerMAHR] *v. reg.* 1 **sign**

Firma al final de la carta.

Sign at the end of the letter.

---

flecha [FLAYchah] *sust. fem* **arrow**

Sigue la flecha.

Follow the arrow.

---

flexo [FLAYKso] *sust. masc.* **desk lamp**

il. pág. 342

---

flor [FLOR] *sust. fem.* **flower**

il. pág. 359

ramo de flores **bouquet of flowers**

Ellos le compraron un ramo de flores.

They bought her a bouquet of flowers.

F f

fontanero, a [fontahNAYro] *sust.* **plumber**
il. pág. 354

fotocopiar [fotokoPEEAHR] *v. reg.* 1 **photocopy**
Necesito fotocopiar esta página.
I need to photocopy this page.

fotografía [fotograhFEEa] *sust. fem.* **picture, photo**
No he visto las fotografías de la boda.
I haven't seen the wedding pictures.

fotógrafo, a [foTOgrahfo] *sust.* **photographer**
il. pág. 354

frase [FRAHsay] *sust. fem.* **sentence**
Escribe tres frases con la palabra "azul".
Write three sentences with the word "blue".

(con) frecuencia [frayKOOAYNtheea] *sust. fem.* **often**
Con frecuencia voy al teatro.
I often go to the theatre.

fregadero [fraygahDAYro] *sust. masc.* **sink**
il. pág. 339

fregar [frayGAHR] *v. irreg.* 6 **do the dishes**
Friego los platos después de comer.
I do the dishes after lunch.

frente [FRAYNtay] *sust. fem.* **forehead**

il. pág. 331

fresco, a [FRAYSko] *adj.* **cold / fresh**

El agua está muy fresca.

The water is very cold.

Esta carne no está fresca. No te la comas.

That meat is not fresh. Don't eat it.

frigorífico [freegoREEfeeko] *sust. masc.* **refrigerator**

El queso está en el frigorífico.

The cheese is in the refrigerator.

▶ In Latin America, *heladera.*

frío, a [FREEo] *adj.* **cold**

Échame hielo: el agua no está fría.

Put some ice in my glass: the water isn't cold.

frito, a [FREEto] *adj.* **fried**

Me apetece pescado frito.

I feel like having fried fish.

fruta [FROOtah] *sust. fem.* **fruit**

il. pág. 343

frutería [frootayREEah] *sust. fem.* **fruit store**

il. pág. 359

fuego [FOOAYgo] *sust. masc.* **fire**

Los bomberos no pudieron apagar el fuego.

The firemen weren't able to put out the fire.

fuera (de) [FOOAYrah] *adv.* **outside**

El perro está fuera de la casa.

The dog is outside the house.

fuerte [FOOAYRtay] *adj. masc. / fem.* **strong**

El héroe de la película es muy fuerte.

The hero of the film is very strong.

fumador, a [foomahDOR] *adj.* **smoker**

En el bar hay un sitio para fumadores.

In the bar there is an area for smokers.

fumar [fooMAHR] *v. reg.* 1 **smoke**

Fumar perjudica seriamente la salud.

Smoking is very bad for the health.

G

gafas [GAHfahs] *sust. fem.* **glasses**

il. pág. 350 y 353

▶ Normally used in the plural form.

---

ganar [gahNAHR] *v. reg.* 1 **earn, win**

Mi primo gana mucho dinero.

My cousin earns a lot of money.

---

garganta [gahrGAHNtah] *sust. fem.* **throat**

Esta medicina es buena para la garganta.

This medicine is good for the throat.

---

gas [GAHS] *sust. masc.* **gas**

El hidrógeno es un gas.

Hydrogen is a gas.

---

gastar [gahsTAHR] *v. reg.* 1 **spend**

Pepe gasta mucho; por eso, no ahorra.

Pepe spends a lot: that's why he doesn't save.

---

gato, a [GAHto] *sust.* **cat**

il. pág. 336

G g

gente [HAYNtay] *sust. fem.* **people**

Hay mucha gente en la calle.

There are lots of people in the street.

gimnasio [heemNAHseeo] *sust. masc.* **gym**

Voy al gimnasio todos los días.

I go to the gym every day.

girar [heeRAHR] *v. reg.* 1 **turn**

Gira en esa calle a la derecha.

Turn right at that street.

glorieta [gloREEAYtah] *sust. fem.* **roundabout**

il. pág. 349

gobierno [goBEEAYRno] *sust. masc.* **government**

Hay un nuevo gobierno en el país.

The country has a new government.

gordo, a [GORdo] *adj.* **fat**

il. pág. 350

gorra [GOrrah] *sust. fem.* **cap**

il. pág. 333

grabar [grahBAHR] *v. reg.* 1 **record**

El periodista grabó la entrevista.

The journalist recorded the interview.

grande [GRAHNday] *adj. masc. / fem.* **big**

El elefante es un animal muy grande.

Elephants are very big animals.

gripe [GREEpay] *sust. fem.* **flu**

Tengo gripe. Me voy a la cama.

I have the flu. I'm going to bed.

gritar [greeTAHR] *v. reg.* 1 **shout**

No grites. No estoy sordo.

Don't shout. I'm not deaf.

grito [GREEto] *sust. masc.* **scream**

Oí un grito tremendo y me asusté.

I heard a terrible scream and I got scared.

guante [GOOAHNtay] *sust. masc.* **glove**

il. pág. 333

guapo, a [GOOAHpo] *adj.* **handsome**

Estás muy guapo con esa gorra.

You're very handsome with that cap.

▶ In Latin America, also *lindo, a.*

guerra [GAYrrah] *sust. fem.* **war**

La película trata de la guerra de Troya.

The film is about the Trojan war.

G g

guía [GEEah] *sust. masc. / fem.* **guide**

Mi tío es guía turístico.

My uncle is a tourist guide.

guisante [geeSAHNtay] *sust. masc.* **pea**

il. pág. 344

gustar [goosTAHR] *v. reg.* 1 **like**

A Sara le gusta mucho el arroz.

Sara likes rice very much.

(a mí) me
(a ti) te
(a él / ella / usted) le
(a nosotros-as) nos
(a vosotros-as) os
(a ellos / ellas / ustedes) les
} *gust**a** / gust**an***

▶ In this case the verb is used in the third person.

*Me gust**a** la leche.*
*Me gust**an** tus amigos.*

H

habitación [ahbeetahTHEEON] *sust. fem.* **bedroom**

Esta casa tiene cuatro habitaciones.

This house has four bedrooms.

---

habitual [ahbeeTOOAHL] *adj. masc. / fem.* **common**

Es habitual lavarse los dientes después de comer.

It's common to brush your teeth after lunch.

---

hablar [ahBLAHR] *v. reg.* 1 **speak**

Sonia habla francés y portugués.

Sonia speaks French and Portuguese.

---

hacer [ahTHAYR] *v. irreg.* 10 **do**

Hago los deberes después de clase.

I do my homework after class.

> –¿Qué tiempo hace? –Hace calor.
> *–What is the weather like? –It is hot.*
> –¿Cuánto tiempo hace que llegaste?
> *–How long have you been here?*
> –Hace dos horas que te espero.
> *–I've been waiting for you for two hours.*

---

hambre [AHNbray] *sust. fem.* **hungry**

Hoy tengo mucha hambre.

Today I'm very hungry.

H h

harina [ahREEnah] *sust. fem.* **flour**
Con la harina se hace el pan.
Bread is made with flour.

heladera [aylahDAYrah] *sust. fem.* **refrigerator**
il. pág. 339
▶ In Spain, *frigorífico* or *nevera*.

helado [ayLAHdo] *sust. masc.* **ice cream**
Prefiero los helados de limón.
I prefer lemon ice cream.

herida [ayREEdah] *sust. fem.* **wound**
Esa herida está aún abierta.
That wound still hasn't healed.

hermano, a [ayrMAHno] *sust.* **brother, sister**
il. pág. 347

hervir [ayrBEER] *v. irreg.* 6 **boil**
He hervido agua para hacer té.
I've boiled some water to make tea.

hielo [EEAYlo] *sust. masc.* **ice**
Por favor, un vaso de agua con hielo.
A glass of water with ice, please.

hierro [EEAYrro] *sust. masc.* **iron**
Esta silla es de hierro.
This chair is made of iron.

hijo, a [EEho] *sust.* **son, daughter**
il. pág. 347

hoja [Oha] *sust. fem.* **sheet / leaf**
¿Me das una hoja de tu cuaderno?
Can you give me a sheet from your notebook?
Es otoño: caen las hojas de los árboles.
It is autumn: the leaves are falling off the trees.

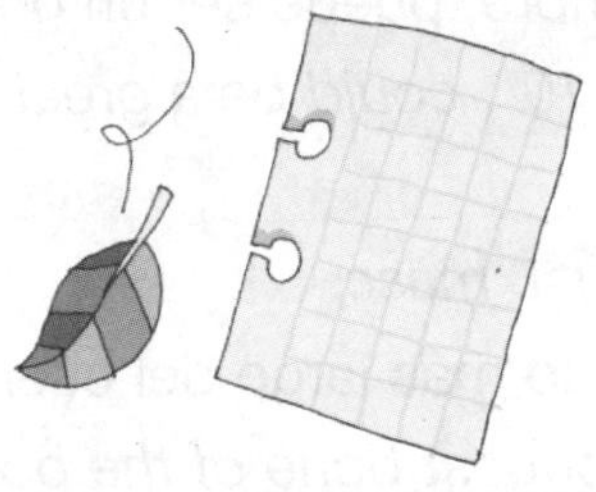

hombre [OMbray] *sust. masc.* **man**
Pablo es un hombre muy alto.
Pablo is a very tall man.

hombro [OMbro] *sust. masc.* **shoulder**
il. pág. 330

horario [oRAHreeo] *sust. masc.* **opening hours**
Este es el horario de la exposición.
Here are the opening hours of the exhibition.

hormiga [orMEEgah] *sust. fem.* **ant**
La hormiga es un insecto.
An ant is an insect.

horno [ORno] *sust. masc.* **oven**
il. pág. 339

hospital [ospeeTAHL] *sust. masc.* **hospital**
Mi abuela ha ido al hospital a visitar a un enfermo.
My grandmother has gone to the hospital to visit a patient.

hoy [OEE] *adv.* **today**
Hoy, 10 de noviembre, puede ser un gran día.
Today, November 10th, could be a great day.

hueso [OOAYso] *sust. masc.* **bone**
El fémur es el hueso más largo del cuerpo.
The femur is the longest bone of the body.

huevo [OOAYbo] *sust. masc.* **egg**
il. pág. 358

I

idioma [eeDEEOmah] *sust. masc.* **language**

El alemán es el idioma de Alemania y Austria.

German is the language of Germany and Austria.

iglesia [eeGLAYseeah] *sust. fem.* **church**

Voy a la iglesia los domingos.

I go to church on Sundays.

igual [eeGOOAHL] *adj. masc. / fem.* **identical**

Tengo tres vestidos iguales.

I have three identical dresses.

dar igual **not care**

No te entiendo, pero me da igual.

I don't understand you and I don't really care.

imaginar [eemahheeNAHR] *v. reg.* 1 **imagine**

¿Te imaginas una ciudad en Marte?

Can you imagine a city on Mars?

importante [eemporTAHNtay] *adj. masc. / fem.* **important**

Leer es muy importante.

Reading is very important.

I

impuesto [eemPOOAYSto] *sust. masc.* **tax**

El gobierno sube los impuestos cada año.

The government raises taxes every year.

indicar [eendeeKAHR] *v. reg.* 1 **indicate**

Hay una flecha que indica el camino.

An arrow indicates the way.

información [eenformahTHEEON] *sust. fem.* **information**

Allí está la oficina de información.

The information office is over there.

informática [eenforMAHteekah] *sust. fem.* **computer science**

María estudia informática por las tardes.

María studies computer science in the afternoon.

inocente [eenoTHAYNtay] *adj. masc. / fem.* **innocent**

No ha ido a la cárcel porque es inocente.

He didn't go to prison because he's innocent.

inteligente [eentayleeHAYNtay] *adj. masc. / fem.* **intelligent**

Alberto no me parece muy inteligente.

Alberto doesn't seen very intelligent to me.

intentar [eentaynTAHR] *v. reg.* 1 **try**

Intento estudiar más... pero no tengo tiempo.

I am trying to study more... but I don't have time.

interesante [eentayraySAHNtay] *adj. masc. / fem.* **interesting**

He leído un libro muy interesante.

I've read a very interesting book.

interrogar [eentayrroGAHR] *v. reg.* 1 **interrogate**

La policía interrogó al sospechoso.

The police interrogated the suspect.

invitar [eenbeeTAHR] *v. reg.* 1 **invite**

Te invito al cine, ¿quieres venir?

I'd like to invite you to the movies. Do you want to come?

ir [EER] *v. irreg.* 18 **go**

Voy a Barcelona de vacaciones.

I'm going to Barcelona on vacation.

▶ It is also used with a pronoun: *irse.*

isla [EESlah] *sust. fem.* **island**

il. pág. 360

izquierdo, a [eethKEEAYRdo] *adj.* **left**

Juan escribe con la mano izquierda.

Juan writes with his left hand.

a la izquierda **on the left**

El despacho del director está a la izquierda.

The director's office is on the left.

J

jabón [hahBON] *sust. masc.* **soap**

Lávate las manos con jabón.

Wash your hands with soap.

jamón [hahMON] *sust. masc.* **ham**

il. pág. 345

jardín [hahrDEEN] *sust. masc.* **garden**

El jardín está lleno de flores.

The garden is full of flowers.

jarra [HAHrrah] *sust. fem.* **jug**

il. pág. 339

jersey [hayrSAYEE] *sust. masc.* **jersey, sweater**

il. pág. 332

joven [HObayn] *adj. masc. / fem.* **young**

Es una chica joven, solo tiene quince años.

She's a young girl: she's only fifteen.

jubilarse [hoobeeLAHRsay] *v. reg.* 4 **retire**

Mi madre se jubilará a los 65 años.

My mother will retire when she turns 65.

jugador, a [hoogahDOR] *sust.* **player**

Maradona fue un gran jugador de fútbol.

Maradona was a great soccer player.

jugar [hooGAHR] *v. irreg.* 5 **play**

El sábado jugaremos al tenis mi hermano y yo.

My brother and I are going to play tennis on Saturday.

jugo [HOOgo] *sust. masc.* **juice**

Me tomaré un jugo de naranja.

I'd like some orange juice.

▶ In Spain, *zumo*.

juguete [hooGAYtay] *sust. masc.* **toy**

He comprado un juguete al niño.

I've bought a toy for the little boy.

junto, a [HOONto] *adj.* **together**

¿Vamos juntos a clase?

Shall we go to class together?

L

labio [LAHbeeo] *sust. masc.* **lip**

il. pág. 331

ladrón, a [lahDRON] *sust.* **thief**

Unos ladrones han robado en la casa de Ana.

Some thieves have burglarized Ana's house.

lámpara [LAHMpahrah] *sust. fem.* **lamp**

il. pág. 339

lana [LAHnah] *sust. fem.* **wool**

Esta falda es de lana.

This skirt is made of wool.

lápiz [LAHpeeth] *sust. masc.* **pencil**

il. pág. 358

largo, a [LAHRgo] *adj.* **long**

La calle es muy larga.

The street is very long.

lata [LAHtah] *sust. fem.* **can, tin**

Tengo que comprar unas latas de atún.

I have to buy some tins of tuna.

lavabo [lahBAHbo] *sust. masc.* **bathroom sink, washbasin**

il. pág. 340

lavandería [lahbahndayREEah] *sust. fem.* **laundry, launderette**

Voy a llevar la ropar sucia a la lavandería.

I'm going to take the dirty clothes to the laundry.

lavar [lahBAHR] *v. reg.* 1 **wash**

Lava la ropa inmediatamente.

Wash those clothes immediately.

▶ It is also used with a pronoun: *lavarse*.

lavavajillas [lahbahbahHEEyahs] *sust. masc.* **dishwasher**

El lavavajillas no funciona.

The dishwasher doesn't work.

leche [LAYchay] *sust. fem.* **milk**

il. pág. 345

lechuga [layCHOOgah] *sust. fem.* **lettuce**

il. pág. 344

leer [layAYR] *v. reg.* 2 **read**

Leo el periódico cada mañana.

I read the newspaper every morning.

Pretérito indefinido
Él leyó Ellos leyeron

Gerundio
Leyendo

lejos (de) [LAYhos] *adv.* **far**

Madrid está lejos de Barcelona.

Madrid is far from Barcelona.

---

lengua [LAYNgooah] *sust. fem.* **language / tongue**

El español no es una lengua difícil de aprender.

Spanish is not a difficult language to learn.

Comiendo me he mordido la lengua.

I bit my tongue while I was eating.

---

levantarse [laybahnTAHRsay] *v. reg.* 4 **get up**

Todos los días me levanto a las 7 de la mañana.

I get up every day at 7 in the morning.

---

librería [leebrayREEah] *sust. fem.* **bookshop, bookstore**

Esa librería vende libros muy baratos.

That bookshop sells very cheap books.

▶ Do not confuse with *library*.

---

libro [LEEbro] *sust. masc.* **book**

il. pág. 342

---

limpiar [leemPEEAHR] *v. reg.* 1 **clean**

Tengo que limpiar mi habitación.

I have to clean my bedroom.

lindo, a [LEENdo] *adj.* **beautiful**

Es una chica muy linda y simpática.

She's a very beautiful and nice girl.

▶ In Spain, also *bonito, guapo*.

---

liso, a [LEEso] *adj.* **straight**

il. pág. 350

---

llamar [yahMAHR] *v. reg.* 1 **call**

He llamado a María por teléfono, pero no responde.

I called María, but she didn't answer the phone.

---

llamarse [yahMAHRsay] *v. reg.* 4 **name**

Mi padre se llama Antonio.

My father's name is Antonio.

---

llegada [yayGAHdah] *sust. fem.* **arrival**

En la estación verás la hora de llegada del tren.

At the station you will see the train's arrival time.

---

llegar [yayGAHR] *v. reg.* 1 **arrive**

Siempre llega tarde a la escuela.

He always arrives late to school.

---

lleno, a [YAYno] *adj.* **full**

La botella está llena de agua.

The bottle is full of water.

L

ll

llevar [yayBAHR] *v. reg.* 1 **take / wear**

Juan, lleva los platos a la mesa.

Juan, take the plates to the table.

Llevo unos zapatos negros muy cómodos.

I'm wearing very comfortable black shoes.

llorar [yoRAHR] *v. reg.* 1 **cry**

Las películas tristes me hacen llorar.

Sad films make me cry.

llover [yoBAYR] *v. irreg.* 5 **rain**

No te olvides del paraguas, llueve mucho.

Don't forget your umbrella; it's raining very hard.

▶ Only used in the third person singular.

lluvia [YOObeeah] *sust. fem.* **rain**

La lluvia es buena para el campo.

Rain is good for the fields.

loco, a [LOko] *adj.* **crazy**

Mario está loco: ¡qué cosas hace!

Mario is crazy: just look at the things he does!

lugar [looGAHR] *sust. masc.* **place**

Este lugar es muy agradable.

This is a very nice place.

luego [LOOAYgo] *adv.* **later**

Te llamo luego, ahora tengo prisa.

I'll call you later; I'm in a hurry now.

lujo [LOOho] *sust. masc.* **luxury**

Es un lujo comprar ese coche. Es muy caro.

That car is a luxury I can't afford. It's very expensive.

luminoso, a [loomeeNOso] *adj.* **bright**

Esta habitación es muy luminosa.

This room is very bright.

luna [LOOnah] *sust. fem.* **moon**

Hoy es noche de luna llena.

Tonight there is a full moon.

luz [LOOTH] *sust. fem.* **light**

No veo bien. Enciende la luz, por favor.

I can't see well. Turn on the light, please.

M

madera [mahDAYrah] *sust. fem.* **wood**

Este mueble es de madera.

This piece of furniture is made of wood.

madre [MAHdray] *sust. fem.* **mother**

il. pág. 347

madrugar [mahdrooGAHR] *v. reg.* 1 **get up early**

No me gusta madrugar para ir a trabajar.

I don't like getting up early to go to work.

maestro, a [mahAYStro] *sust.* **teacher**

Mi primo es maestro de escuela.

My cousin is a school teacher.

mal [MAHL] *adv.* **wrong**

Este ejercicio está mal hecho. Repítelo.

This exercise is wrong. Do it over.

maleta [mahLAYtah] *sust. fem.* **suitcase**

il. pág. 356

▶ In Latin America, also *valija*.

malo, a [MAHlo] *adj.* **bad**

Pepito es un niño muy malo.

Pepito is a very bad boy.

mancha [MAHNchah] *sust. fem.* **stain**

Tienes una mancha de aceite en la camisa.

You have an oil stain on your shirt.

mandar [mahnDAHR] *v. reg.* 1 **give orders**

Al jefe le gusta mandar.

The boss likes giving orders.

manejar [mahnayHAHR] *v. reg.* 1 **drive**

Maneja con cuidado el carro.

Drive the car carefully.

▶ In Spain, *conducir*.

manga [MAHNgah] *sust. fem.* **sleeve**

il. pág. 332

manta [MAHNtah] *sust. fem.* **blanket**

Pon otra manta en la cama: hace frío.

Put another blanket on the bed: it's cold.

mantel [mahnTAYL] *sust. masc.* **tablecloth**

il. pág. 339

mantequilla [mahntayKEEyah] *sust. fem.* **butter**
il. pág. 345

manzana [manTHAHnah] *sust. fem.* **apple**
il. pág. 343

mañana [mahNYAHnah] *sust. fem. y adv.* **morning / tomorrow**

Parecías triste aquella mañana.
You seemed sad that morning.
Mañana tengo un examen.
I have an exam tomorrow.
pasado mañana **the day after tomorrow**
Pasado mañana es miércoles.
The day after tomorrow is Wednesday.

> por la mañana / *in the morning*
> por la tarde / *in the afternoon*
> por la noche / *in the evening*

mar [MAHR] *sust. masc.* **sea**
il. pág. 360

marcar [mahrKAHR] *v. reg.* 1 **mark**
Marca la página de ese libro.
Mark that page in that book.

marido [mahREEdo] *sust. masc.* **husband**
il. pág. 347

marisco [maREESko] *sust. masc.* **seafood**

Le encanta tomar marisco por la noche.

He loves having seafood in the evening.

más [MAHS] *adv.* **more**

Echa más azúcar al café.

Add more sugar to the coffee.

matar [maTAHR] *v. reg.* 1 **kill**

Este producto sirve para matar moscas.

This product is for killing flies.

mayor [mahYOR] *adj. masc. / fem.* **elderly**

Mi abuelo es una persona mayor.

My grandfather is an elderly person.

médico [MAYdeeko] *sust. masc. / fem.* **doctor**

il. pág. 354

medio, a [MAYdeeo] *adj.* **half**

Quiero medio kilo de patatas.

I'd like half a kilo of potatoes.

menos [MAYnos] *adv.* **less**

Hoy tengo menos trabajo.

Today I have less work.

mentira [maynTEErah] *sust. fem.* **lie**

Eso que dices es mentira, no es verdad.

That's a lie; it's not true.

mercado [mayrKAHdo] *sust. masc.* **market**

Voy al mercado a comprar verdura.

I'm going to the market to buy vegetables.

merendar [mayraynDAHR] *v. irreg.* 6 **have a snack (in the afternoon)**

Meriendo después del colegio.

I have a snack right after school.

mes [MAYS] *sust. masc.* **month**

El mes que viene iré al teatro.

I'm going to the theater next month.

Los meses del año
Enero, febrero, marzo, abril, mayo, junio, julio, agosto, septiembre, octubre, noviembre y diciembre. *The months are always written in lower case in Spanish.*

mesa [MAYsah] *sust. fem.* **table**

il. pág. 340

meter [mayTAYR] *v. reg.* 2 **put**

Metí las llaves en el bolso.

I put the keys in my purse.

mezquita [maythKEEtah] *sust. fem.* **mosque**
il. pág. 360

miedo [MEEAYdo] *sust. masc.* **afraid**
Tengo miedo de suspender el examen.
I'm afraid of failing the exam.

miembro [MEEAYMbro] *sust. masc.* **member**
Es miembro de un grupo de baile.
He's a member of a dance group.

mientras [MEEAYNtras] *conj.* **while**
Mientras veía la televisión llegó Carlos.
While I was watching T.V., Carlos arrived.

minuto [meeNOOto] *sust. masc.* **minute**
Espérame cinco minutos.
Wait for me five minutes.

mirar [meeRAHR] *v. reg.* 1 **look**
Mira por la ventana: ¿está lloviendo?
Look out the window: is it raining?

mismo, a [MEESmo] *adj.* **same**
Juan y yo estamos en la misma clase.
Juan and I are in the same class.
es lo mismo, da lo mismo **not care**
No creo que llueva, pero es lo mismo / me da lo mismo.
I don't think it'll rain, but I don't care.

M m

mitad (de) [meeTAHD] *sust. fem.* **half**
Toma sólo la mitad de la tarta.
Eat only half of the cake.

mochila [moCHEElah] *sust. fem.* **backpack**
il. pág. 353

moderno, a [moDAYRno] *adj.* **modern**
Voy a ver una exposición de arte moderno.
I'm going to see a modern art exhibition.

molestar [molaysTAHR] *v. reg.* 1 **bother**
Me molesta el humo de los bares.
Smoke in the bars bothers me.
▶ See *gustar*.

momento [moMAYNto] *sust. masc.* **moment**
Espera un momento. Ahora voy.
Wait a moment. I'll be right there.

montaña [monTAHnyah] *sust. fem.* **mountain**
il. pág. 360

moreno, a [moRAYno] *adj.* **dark-skinned**
il. pág. 350

M m

morirse [moREERsay] *v. irreg.* 5 **die**

Mi gato se ha muerto. Era muy viejo.

My cat has died. It was very old.

mosca [MOSkah] *sust. fem.* **fly**

En septiembre hay muchas moscas.

There are many flies in September.

moto [MOto] *sust. fem.* **motorcycle**

il. pág. 349

mozo, a [MOtho] *sust.* **waiter, waitress**

il. pág. 354

▶ In Spain, *camarero, a.*

mucho, a [MOOcho] *adj. y adv.* **a lot, very much**

Aquí hay mucha gente.

There are a lot of people here.

mudo, a [MOOdo] *adj.* **mute**

Él es mudo de nacimiento.

He was born mute.

mudarse [mooDAHRsay] *v. reg.* 4 **move**

Me he mudado a otra casa más grande.

I've moved to a bigger house.

M m

mueble [MOOAYblay] *sust. masc.* **furniture**
Hay una tienda de muebles en la plaza.
There is a furniture store on the square.

mujer [mooHAYR] *sust. fem.* **woman / wife**
María es una mujer muy elegante.
María is a very elegant woman.
il. pág. 347

mundo [MOONdo] *sust. masc.* **world**
Hay mucha hambre en el mundo.
There is a lot of hunger in the world.
todo el mundo **everybody**
A todo el mundo le gustan las vacaciones.
Everybody likes vacation.

muñeca [mooNYAYkah] *sust. fem.* **doll / wrist**
Juego con la muñeca.
I am playing with the doll.
Me he caído y me duele la muñeca.
I've fallen and my wrist hurts.

museo [mooSAYo] *sust. masc.* **museum**

El museo Guggenheim está en Bilbao.

The Guggenheim Museum is in Bilbao.

---

música [MOOseeka] *sust. fem.* **music**

Me gusta escuchar música clásica.

I like listening to classical music.

---

muy [MOOEE] *adv.* **very**

Estoy muy nervioso por el examen.

I'm very nervous about the exam.

N

nacer [nahTHAYR] *v. irreg.* 8 **be born**

Mi hermano nació en Navidad.

My brother was born at Christmas.

---

nacimiento [natheeMEEAYNto] *sust. masc.* **birth**

Escriba aquí su fecha de nacimiento.

Write the date of your birth here.

---

nada [NAHdah] *pron.* **nothing**

No hay nada en el frigorífico.

There is nothing in the refrigerator.

---

nadar [nahDAHR] *v. reg.* 1 **swim**

Mi amiga y yo nadamos todas las tardes.

My friend and I swim every afternoon.

---

nadie [NAHdeeay] *pron.* **no one**

Nadie ha visto nada.

No one has seen anything.

---

naranja [nahRAHNha] *sust. fem. y adj. masc. / fem.* **orange**

il. pág. 338 y 343

nata [NAHtah] *sust. fem.* **cream**

La leche tiene nata.

Milk contains cream.

naturaleza [nahtoorahLAYthah] *sust. fem.* **nature**

Mis abuelos viven en medio de la naturaleza.

My grandparents live in the midst of nature.

necesitar [naythayseeTAHR] *v. reg.* 1 **need**

¿Necesitas algo más?

Do you need anything else?

negar [nayGAHR] *v. irreg.* 6 **deny**

Eso no es cierto. Lo niego.

That's not true. I deny it.

negocio [nayGOtheeo] *sust. masc.* **business**

Ganó mucho dinero con ese negocio.

He made a lot of money with that business.

nervioso, a [nayrBEEOso] *adj.* **nervous**

il. pág. 352

nevar [nayBAHR] *v. irreg.* 6 **snow**

Está nevando en la montaña.

It's snowing in the mountains.

▶ This verb is only used in the third person singular.

nevera [nayVAYrah] *sust. fem.* **refrigerator**
il. pág. 339
▶ In Latin America, also *heladera.*

nieto, a [NEEAYto] *sust.* **grandson, granddaughter**
il. pág. 347

nieve [NEEAYbay] *sust. fem.* **snow**
En invierno, hay nieve en la montaña.
In winter, there is snow on the mountains.

niño, a [NEEnyo] *sust.* **boy, girl**
Los niños solo piensan en jugar.
Boys only think about playing.

noche [NOchay] *sust. fem.* **night**
¿Salimos esta noche a cenar?
Should we go out for dinner tonight?
de noche **at night**
Me encanta salir de noche.
I love going out at night.

nombre [NOMbray] *sust. masc.* **name**
–¿Cuál es tu nombre? –Pepe.
–What's your name? –Pepe.

normal [norMAHL] *adj. masc. / fem.* **normal**
Hoy es un día normal y corriente.
Today is a normal and average day.

noticia [noTEEtheeah] *sust. fem.* **news**

¿Te vas de viaje? ¡Qué buena noticia!

Are you going on a trip? That's great news!

novio, a [NObeeo] *sust.* **boyfriend, girlfriend**

Luisa tiene un novio inglés.

Luisa has an English boyfriend.

nube [NOObay] *sust. fem.* **cloud**

Hay nubes en el cielo.

There are clouds in the sky.

nuevo, a [NOOAYbo] *adj.* **new**

Me he comprado un abrigo nuevo.

I've bought a new coat.

número [NOOmayro] *sust. masc.* **number**

Vivo en el número 8 de esta calle.

I live at number 8 on this street.

nunca [NOONkah] *adv.* **never**

Nunca he estado en China.

I've never been to China.

O

obedecer [obaydayTHAYR] *v. irreg.* 8 **obey**

Los alumnos obedecen a sus profesores.

Students obey their teachers.

---

objeto [obHAYto] *sust. masc.* **object**

Hay varios objetos en la mesa.

There are several objects on the table.

---

obligar (a) [obleeGAHR] *v. reg.* 1 **make**

Mi madre me obliga a estudiar.

My mother makes me study.

---

obra (de teatro) [Obrah] *sust. fem.* **play**

Hemos visto una obra de teatro.

We've seen a play at the theatre.

---

odiar [oDEEAHR] *v. reg.* 1 **hate**

Odio madrugar.

I hate getting up early.

---

ofrecer [ofrayTHAYR] *v. irreg.* 8 **offer**

Carmen me ha ofrecido su ayuda.

Carmen has offered to help me.

oído [oEEdo] *sust. masc.* **ear**

Me duelen los oídos.

My ears hurt.

oír [oEER] *v.* 3 **hear**

Desde aquí oigo las campanas.

I can hear the bells from here.

Imperativo
oye, oiga, oíd, oigan

Presente de indicativo
oigo, oyes, oye, oímos, oís, oyen

Gerundio
oyendo

oler [oLAYR] *v. irreg.* 21 **smell**

Esta rosa huele muy bien.

This rose smells very good.

olor [oLOR] *sust. masc.* **smell**

Hay un olor raro aquí dentro.

There is a strange smell in here.

olvidar [olbeeDAHR] *v. reg.* 1 **forget**

Nunca olvidaré este momento.

I'll never forget this moment.

▶ It is also used with a pronoun: *olvidarse.*

oración [orahTHEEON] *sust. fem.* **sentence / prayer**

El texto tiene varias oraciones.

The text has several sentences.

Las campanas llaman a los monjes a la oración.

The bells are summoning the monks to prayer.

O
O

ordenador [ordaynahDOR] *sust. masc.* **computer**
il. pág. 342
▶ In Latin America, *computadora*.

ordenar [ordayNAHR] *v. reg.* 1 **order / arrange**
Te ordeno que vengas aquí.
I order you to come here.
He ordenado los libros.
I've arranged the books.

organizar [orgahneeTHAHR] *v. reg.* 1 **organise, organize**
Hemos organizado el viaje para el día uno.
We've organised the trip for the first of the month.

oro [Oro] *sust. masc.* **gold**
Tengo unos pendientes de oro.
I have a gold pair of earrings.

oscuro, a [osKOOro] *adj.* **dark**
Esta habitación está muy oscura. Enciende la luz.
This room is very dark. Turn on the light.

otro, a [Otro] *adj.* **another**
Quiero otro helado.
I want another ice cream.

P

paciencia [pahTHEEAYNtheeah] *sust. fem.* **patience**

¡Qué paciencia hay que tener con él!

He really tries your patience!

padre [PAHdray] *sust. masc.* **father**

il. pág. 347

pagar [pahGAHR] *v. reg.* 1 **pay**

Te invito, hoy pago yo.

It's on me; I'll pay today.

paisaje [paheeSAHhay] *sust. masc.* **landscape**

Desde mi casa veo un paisaje muy bonito.

From my house I can see a very beautiful landscape.

palabra [pahLAHbrah] *sust. fem.* **word**

¿Entiendes las palabras del texto?

Do you understand the words of the text?

palillo [pahLEEyo] *sust. masc.* **toothpick**

Estos palillos son para pinchar las aceitunas.

These toothpicks are to spear olives.

pan [PAHN] *sust. masc.* **bread**
il. pág. 359
barra de pan **loaf of bread**
Compro dos barras de pan al día.
I buy two loaves of bread each day.
pan de molde **sliced bread**
Estos bocadillos están hechos con pan de molde.
These sandwiches are made with sliced bread.
pan integral **wholemeal bread**
El pan integral es de color marrón.
Wholemeal bread is brown in color.

---

panadería [pahnahdayREEah] *sust. fem.* **bakery**
il. pág. 359

---

pantalón [pahntahLON] *sust. masc.* **pants, trousers**
▶ Normally used in the plural form.
pantalones vaqueros **jeans**
il. pág. 333

---

pañuelo [pahNYOOAYlo] *sust. masc.* **handkerchief**
Tengo gripe. Necesito un pañuelo.
I have the flu. I need a handkerchief.

---

papa [PAHpah] *sust. fem.* **potato**
il. pág. 346
▶ In Spain, also *patata*.

papel [pahPAYL] *sust. masc.* **paper**

Uso siempre papel reciclado.

I always use recycled paper.

papelera [pahpayLAYrah] *sust. fem.* **wastepaper bin, wastebasket**

il. pág. 342

paquete [pahKAYtay] *sust. masc.* **package, parcel**

He enviado el paquete a Luis.

I've sent the parcel to Luis.

parado, a [pahRAHdo] *adj.* **unemployed**

Estoy parada: no tengo trabajo.

I'm unemployed: I don't have a job.

pararse [pahRAHRsay] *v. reg.* 4 **stop**

Se han parado a mirar el escaparate.

They stopped to look at the shop window.

parecer [pahrayTHAYR] *v. irreg.* 8 **look, look like**

Pareces enfermo: ¿estás bien?

You look ill: are you O.K.?

▶ It is also used with a pronoun: *parecerse.*

pared [pahRAYD] *sust. fem.* **wall**

il. pág. 341

parque [PAHRkay] *sust. masc.* **park**

il. pág. 348

parte [PAHRtay] *sust. fem.* **part**

Esta parte del libro es muy interesante.

This part of the book is very interesting.

pasar [pahSAHR] *v. reg.* 1 **go through**

El Sena pasa por París.

The Seine goes through Paris.

pasear [pahsayAHR] *v. reg.* 1 **walk**

Hemos salido a pasear por el campo.

We went out for a walk in the country.

pasillo [pahSEEyo] *sust. masc.* **corridor**

El servicio está al final del pasillo.

The toilets are at the end of the corridor.

paso [PAHso] *sust. masc.* **step**

Mi hijo ha dado su primer paso.

My son has taken his first step.

pastel [pahsTAYL] *sust. masc.* **cake**

Mi madre está haciendo un pastel de nata.

My mother is preparing a cream cake.

patata [pahTAHtah] *sust. fem.* **potato**
il. pág. 346
▶ In Latin America, *papa*.

paz [PAHTH] *sust. fem.* **peace**
Hay que luchar por la paz.
We must fight for peace.

peatón [payahTON] *sust. masc.* **pedestrian**
El peatón cruza por el paso de cebra.
The pedestrian crosses at the crosswalk.

pecho [PAYcho] *sust. masc.* **chest**
il. pág. 330

pedir [payDEER] *v. irreg.* 7 **ask**
He pedido ayuda a mi profesor.
I've asked my teacher to help me.

pegar [payGAHR] *v. reg.* 1 **glue / beat**
He pegado la foto en el cuaderno.
I glued the photo to the notebook.
Juan ha pegado al niño.
Juan beat the child.

peine [PAYEEnay] *sust. masc.* **comb**
Prefiero el peine al cepillo.
I prefer a comb to a brush.

película [payLEEkoolah] *sust. fem.* **film**

Me gustan las películas de amor.

I like romantic films.

peligro [payLEEgro] *sust. masc.* **danger**

El lobo está en peligro de extinción.

The wolf is in danger of extinction.

pelirrojo, a [payleeRROho] *adj.* **red-haired**

il. pág. 350

pelo [PAYlo] *sust. masc.* **hair**

il. pág. 331 y 350

pelota [payLOtah] *sust. fem.* **ball**

il. pág. 351

peluquería [paylookayREEah] *sust. fem.* **hairdresser's salon**

Tienes que ir a la peluquería.

You have to go to the hairdresser's salon.

pendientes [paynDEEAYNtays] *sust. masc.* **earrings**

il. pág. 353

pensar (en) [paynSAHR] *v. irreg.* 6 **think**

Piensa en mí.

Think of me.

pequeño, a [payKAYnyo] *adj.* **little, small**

Es un perro muy pequeño.

It's a very little dog.

perder [payrDAYR] *v. irreg.* 6 **lose**

He perdido mi reloj. No sé dónde está.

I've lost my watch. I don't know where it is.

Mi equipo perdió el partido.

My team lost the match.

perder el autobús **miss the bus**

Llego tarde, voy a perder el autobús.

I'm late; I'm going to miss the bus.

perfecto, a [payrFAYKto] *adj.* **perfect**

Es un final perfecto.

It's a perfect ending.

periódico [payREEOdeeko] *sust. masc.* **newspaper**

Cada mañana leo el periódico.

I read the newspaper every morning.

periodista [payreeoDEEStah] *sust. masc. / fem.* **journalist**

il. pág. 355

permitir [payrmeeTEER] *v. reg.* 3 **let**

¿Me permites salir?

Will you let me go out?

persiana [payrSEEAHnah] *sust. fem.* **blind**
il. pág. 339

persona [payrSOnah] *sust. fem.* **person**
Raquel es una persona excelente.
Raquel is an excellent person.

pescado [paysKAHdo] *sust. masc.* **fish**
il. pág. 346

pie [PEEAY] *sust. masc.* **foot**
il. pág. 330
ir a pie **go on foot**
¿Vas a pie o en autobús?
Are you going on foot or by bus?

pierna [PEEAYRnah] *sust. fem.* **leg**
il. pág. 330

pintura [peenTOOrah] *sust. fem.* **painting**
El *Guernica* es una pintura de Picasso.
Guernica *is a painting by Picasso.*

piscina [peesTHEEnah] *sust. fem.* **swimming pool**
Voy a la piscina en verano.
I go to the swimming pool in the summer.

piso [PEEso] *sust. masc.* **apartment, flat**

Necesito un piso con ascensor.

I need a flat with a lift.

planchar [plahnCHAHR] *v. reg.* **iron**

Plancho la ropa cada semana.

I iron the clothes every week.

plano [PLAHno] *sust. masc.* **map**

Este es el plano de la ciudad.

This is a map of the city.

planta [PLAHNtah] *sust. fem.* **floor / plant**

Voy a la tercera planta.

I'm going to the third floor.

il. pág. 359

plato [PLAHto] *sust. masc.* **dish**

il. pág. 339

plata [PLAHtah] *sust. fem.* **silver / money**

Son unos pendientes de plata.

They are silver earrings.

Papá, dame plata para comprar el pan.

Dad, give me some money to buy bread.

▶ In this case, a Spaniard would use the word *dinero*.

playa [PLAHyah] *sust. fem.* **beach**
il. pág. 360

plaza [PLAHthah] *sust. fem.* **square**
Vivo en una plaza con muchos árboles.
I live on a square full of trees.

pobre [PObray] *adj. masc. / fem.* **poor**
Es un hombre pobre.
He's a poor man.

poco, a [POko] *adj.* **not many**
Hay poca gente en la fiesta.
There are not many people at the party.

poder [poDAYR] *v. irreg.* 5 **can**
No puedo leer desde aquí.
I can't read from here.

podrido, a [poDREEdo] *adj.* **rotten**
Este pescado está podrido.
This fish is rotten.

poner [poNAYR] *v. irreg.* 12 **put**
¿Has puesto la planta en la ventana?
Have you put the plant in the window?
ponerse de pie **stand up**
El bebé se puso de pie.
The baby stood up.

posible [poSEEblay] *adj. masc. / fem.* **possible**

Este problema tiene una posible solución.

This problem has a possible solution.

positivo, a [poseeTEEbo] *adj.* **positive**

Es una chica positiva y optimista.

She's a positive and optimistic girl.

postal [posTAHL] *sust. fem.* **postcard**

Escríbeme una postal desde Londres.

Write me a postcard from London.

postre [POStray] *sust. masc.* **dessert**

De postre quiero fruta.

I'd like some fruit for dessert.

precio [PRAYtheeo] *sust. masc.* **price**

Los precios han subido.

Prices have gone up.

precioso, a [prayTHEEOso] *adj.* **beautiful**

Tienes una casa preciosa.

You have a beautiful house.

preferir [prayfayREER] *v. irreg.* 6 **prefer**

Prefiero comer fruta de postre.

I prefer having fruit for dessert.

pregunta [prayGOONtah] *sust. fem.* **question**

Tengo una pregunta.

I have a question.

preparar [praypahRAHR] *v. reg.* 1 **make**

He preparado una tarta de chocolate.

I've made a chocolate cake.

prestar [praysTAHR] *v. reg.* 1 **lend**

¿Me prestas ese disco?

Can you lend me that record?

probar [proBAHR] *v. irreg.* 5 **try**

¿Has probado la salsa?

Have you tried the sauce?

▶ It is also used with a pronoun: *probarse.*

problema [proBLAYmah] *sust. masc.* **problem**

Tengo un problema muy grande.

I have a big problem.

profesor, a [profaySOR] *sust.* **teacher**

il. pág. 355

programa [proGRAHmah] *sust. masc.* **program**

No me gustan los programas de televisión.

I don't like television programs.

pronto [PRONto] *adv.* **early**

Me he levantado pronto esta mañana.

I got up early this morning.

de pronto **suddenly**

Juan llegó de pronto.

Juan arrived suddenly.

pronunciar [pronoonTHEEAHR] *v . reg.* 1 **pronounce**

Pronuncia la palabra "through" in inglés.

Pronounce the word "through" in English.

próximo, a [PROKseemo] *adj.* **next**

El mes próximo voy al dentista.

I've got an appointment with the dentist next month.

pueblo [POOAYblo] *sust. masc.* **village**

Vivo en un pueblo pequeño.

I live in a small village.

pulsera [poolSAYrah] *sust. fem.* **bracelet**

il. pág. 353

Q

quedar (con) [kayDAHR] *v. reg.* 1 **meet**

He quedado con Sonia para ir a cenar.

I'm meeting Sonia to go out for dinner.

quedarse [kayDAHRsay] *v. reg.* 4 **stay**

Me he quedado en casa a estudiar.

I've stayed home to study.

quemar [kayMAHR] *v. reg.* 1 **burn**

Quema papel para encender la chimenea.

Burn some paper to light the fireplace.

▶ It is also used with a pronoun: *quemarse.*

querer [kayRAYR] *v. irreg.* 6 **want**

Queremos un mundo mejor.

We want a better world.

queso [KAYso] *sust. masc.* **cheese**

il. pág. 345

quiosco [KEEOSko] *sust. masc.* **newsstand**

il. pág. 349

quitar [keeTAHR] *v. reg.* 1 **take off**

Quita las sábanas de la cama.

Take the sheets off the bed.

▶ It is also used with a pronoun: *quitarse.*

quizá(s) [keeTHAHS] *adv.* **maybe**

Quizás nieve mañana.

Maybe it will snow tomorrow.

R

rápido, a [RAHpeedo] *adj.* **fast**

Esta moto es muy rápida.

This motorcycle is very fast.

raro, a [RAHro] *adj.* **strange**

Es un día raro. Ha llovido y ahora hace sol.

This has been a strange day. First it rained, now it's sunny.

rato [RAHto] *sust. masc.* **a while**

Esperé un rato, luego me fui.

I waited for a while, then I left.

recibir [raytheeBEER] *v. reg.* 3 **receive**

He recibido una carta de una amiga.

I've received a letter from a friend of mine.

recordar [raykorDAHR] *v. irreg.* 5 **remember**

¿Recuerdas aquel verano en la playa?

Do you remember that summer on the beach?

regalo [rayGAHlo] *sust. masc.* **gift**

Tengo que comprar un regalo a Marta.

I have to buy Marta a gift.

regla [RAYglah] *sust. fem.* **rule / ruler**

Hay que cumplir las reglas del juego.

You have to follow the rules of the game.

No olvides llevar la regla al colegio.

Don't forget to take the ruler to school.

---

regresar [raygraySAHR] *v. reg.* 1 **come back**

No me esperes. Regresaré tarde.

Don't wait for me. I'll be coming back late.

---

reírse (de) [rayEERsay] *v.* 3 **laugh**

Nos hemos reído mucho en el circo.

We laughed a lot at the circus.

Presente de indicativo
(me) río, (te) ríes, (se) ríe, (nos) reímos, (os) reís, (se) ríen

Imperativo
ríete, ríase, reíos, ríanse

Gerundio
riéndose

---

relación [raylahTHEEON] *sust. fem.* **relationship**

Tiene una gran relación con su jefe.

She has a great relationship with her boss.

---

reloj [rayLOH] *sust. masc.* **clock, watch**

il. pág. 340

repetir [raypayTEER] *v. irreg.* 7 **repeat**

¿Puedes repetir, por favor?

Can you repeat, please?

respirar [rayspeeRAHR] *v. reg.* 1 **breathe**

Las plantas respiran por las hojas.

Plants breathe through their leaves.

retrasarse [raytrahSAHRsay] *v. reg.* 4 **be late**

Perdona: me he retrasado un poco.

I'm sorry: I'm a little late.

revista [rayBEEStah] *sust. fem.* **magazine**

Esta revista de moda tiene muchas fotos.

This fashion magazine has many photos.

rico, a [REEko] *adj.* **good / rich**

Esta comida está muy rica.

This food is very good.

Juan es rico: tiene mucho dinero.

Juan is rich: he has a lot of money.

▶ The meaning changes depending on whether it is used with *ser* or *estar*.

risa [REEsah] *sust. fem.* **laugh**

Tiene una risa preciosa.

She has a wonderful laugh.

robar [roBAHR] *v. reg.* 1 **rob**

Ese hombre ha robado el banco.

That man has robbed the bank.

rodilla [roDEEyah] *sust. fem.* **knee**

il. pág. 330

ropa [ROpah] *sust. fem.* **clothes**

Guarda la ropa en el armario.

He keeps his clothes in the wardrobe.

roto, a [ROto] *adj.* **broken, torn**

Tengo que coser mi vestido roto.

I have to sew my torn dress.

rubio, a [ROObeeo] *adj.* **blonde**

il. pág. 350

ruido [ROOEEdo] *sust. masc.* **noise**

Hay mucho ruido en la calle.

There's a lot of noise in the street.

S

sábana [SAHbahnah] *sust. fem.* **sheet**

Pon sábanas limpias en la cama.

Put clean sheets on the bed.

---

saber [sahBAYR] *v. irreg.* 20 **know**

No sé hacer este ejercicio.

I don't know how to do this exercise.

---

sabor [sahBOR] *sust. masc.* **taste**

Esta tarta tiene un sabor dulce.

This cake has a sweet taste.

---

sabroso, a [sahBROso] *adj.* **tasty**

La carne está muy sabrosa.

The meat is very tasty.

---

sacar [sahKAHR] *v. reg.* 1 **take out**

Voy a sacar dinero del banco.

I'm going to take money out of the bank.

---

sal [SAHL] *sust. fem.* **salt**

Echa sal en la ensalada.

Put some salt on the salad.

salado, a [sahLAHdo] *adj.* **salty**

Este pescado está muy salado.

This fish is very salty.

salida [sahLEEdah] *sust. fem.* **exit**

La puerta de salida está a la derecha.

The exit is on the right.

salir [sahLEER] *v. irreg.* 13 **go out**

¿Vas a salir o te quedas en casa?

Are you going out or are you staying at home?

salsa [SAHLsah] *sust. fem.* **sauce**

Echa salsa de tomate a la pasta.

Add tomato sauce to the pasta.

salud [sahLOOD] *sust. fem.* **health**

El médico cuida de tu salud.

The doctor takes care of your health.

sangre [SAHNgray] *sust. fem.* **blood**

Me mareo si veo sangre.

I feel sick when I see blood.

sano, a [SAHno] *adj.* **healthy**

La fruta es muy sana.

Fruit is very healthy.

secador [saykahDOR] *sust. masc.* **hairdryer**

Necesito un secador para el pelo.

I need a hairdryer for my hair.

seco, a [SAYko] *adj.* **dry**

Esta planta está seca. Échale agua.

This plant is dry. Water it.

sed [SAYD] *sust. fem.* **thirsty**

Si tienes sed bebe agua.

If you're thirsty, dirnk some water.

seguir [sayGEER] *v. irreg.* 7 **follow**

Sigue a este coche.

Follow that car.

seguro, a [sayGOOro] *adj.* **safe**

Es un coche grande y seguro.

It's a big and safe car.

sello [SAYyo] *sust. masc.* **stamp**

il. pág. 358

semáforo [sayMAHforo] *sust. masc.* **traffic lights**

il. pág. 348

semana [sayMAHnah] *sust. fem.* **week**

Una semana tiene siete días.

A week has seven days.

fin de semana **weekend**

El fin de semana voy de viaje.

I'm going on a trip this weekend.

Los días de la semana
Lunes, martes, miércoles, jueves, viernes, sábado y domingo. *The days of the week are always written in lower case.*

---

sencillo, a [saynTHEEyo] *adj.* **easy**

Es un problema sencillo de resolver.

This problem is easy to solve.

---

sentarse [saynTAHRsay] *v. irreg.* 6 **sit**

Me siento en un sillón para leer.

I sit in an armchair to read.

---

sentir [saynTEER] *v. irreg.* 6 **feel**

Siento alegría en Navidad.

I feel happy at Christmas.

▶ It is also used with a pronoun: *sentirse.*

---

señal (de tráfico) [sayNYAHL] *sust. fem.* **sign**

il. pág. 348

---

separar [saypahRAHR] *v. reg.* 3 **separate**

Separa más las letras al escribir.

Separate the letters a bit more when you write.

▶ It is also used with a pronoun: *separarse.*

ser [SAYR] *v. irreg.* 19 **be**

David es mi hermano.

David is my brother.

La fiesta es en casa de Natalia.

The party is at Natalia's home.

serio, a [SAYreeo] *adj.* **serious**

Es un chico serio, no se ríe mucho.

He's a serious boy; he doesn't laugh very much.

servicio [sayrBEEtheeo] *sust. masc.* **restroom, toilets**

¿Dónde están los servicios, por favor?

Where are the toilets, please?

servilleta [sayrbeeYAYtah] *sust. fem.* **napkin**

il. pág. 339

servir [sayrBEER] *v. irreg.* 7 **use**

La cuchara sirve para comer.

The spoon is used to eat.

siempre [SEEAYMpray] *adv.* **always**

Siempre me levanto tarde.

I always get up late.

siesta [SEEAYStah] *sust. fem.* **nap**

¿Duermes la siesta después de comer?

Do you have a nap after lunch?

echarse la siesta **have a nap**
Me echo la siesta después de comer.
I usually have a nap after lunch.

---

siguiente [seeGEEAYNtay] *adj. masc. / fem.* **next**
Que pase el siguiente.
Next in line, please.

---

silencio [seeLAYNtheeo] *sust. masc.* **silence**
Necesito silencio para estudiar.
I need silence to study.

---

silla [SEEyah] *sust. fem.* **chair**
il. pág. 340

---

sillón [seeYON] *sust. masc.* **armchair**
il. pág. 341

---

simpático, a [seemPAHteeko] *adj.* **nice**
Ana es simpática y alegre.
Ana is nice and cheerful.

---

sinagoga [seenahGOgah] *sust. fem.* **synagogue**
il. pág. 360

---

sitio [SEEteeo] *sust. masc.* **place**
Este es un buen sitio para comer.
This is a good place to eat.

situación [seetooahTHEEON] *sust. fem.* **situation**

Es una situación difícil y complicada.

It's a difficult and complex situation.

sobre [SObray] *sust. masc. y prep.* **envelope / on**

El sobre está sobre la mesa.

The envelope is on the table.

sobrino, a [soBREEno] *sust.* **nephew, niece**

il. pág. 347

sofá [soFAH] *sust. masc.* **couch**

il. pág. 340

sol [SOL] *sust. masc.* **sun**

El sol calienta mucho hoy.

The sun is very warm today.

soler [soLAYR] *v. irreg.* 5 **usually**

Suelo ducharme antes de desayunar.

I usually take a shower before having breakfast.

solo, a [SOlo] *adj. y adv.* **alone / only**

Ella va sola al cine.

She goes to the cinema alone.

Me has llamado solo una vez.

You've only called me once.

soltero, a [solTAYro] *adj.* **single**

Ana está soltera pero tiene novio.

Ana is single but she has a boyfriend.

▶ In Spanish, *soltero* only refers to marital status.

---

solución [solooTHEEON] *sust. fem.* **solution**

¿Sabes la solución de este ejercicio?

Do you know the solution to this exercise?

---

sombra [SOMbrah] *sust. fem.* **shade**

El árbol da buena sombra.

This tree offers good shade.

---

sombrero [somBRAYro] *sust. masc.* **hat**

il. pág. 333

---

sonar [soNAHR] *v. irreg.* 5 **ring**

Suenan las campanas de la iglesia.

The bells of the church are ringing.

▶ This verb is always used in the third person.

---

soñar [soNYAHR] *v. irreg.* 5 **dream**

Sueño mucho cuando duermo.

I dream a lot when I am sleeping.

---

sopa [SOpah] *sust. fem.* **soup**

La sopa de verduras está muy rica.

Vegetable soup is very good.

sordo, a [SORdo] *adj.* **deaf**

Mi abuela es sorda; no oye bien.

My grandmother is deaf; she can't hear well.

sorprendente [sorprayDAYNtay] *adj. masc. / fem.* **surprising**

¡Es un regalo sorprendente! No lo esperaba.

It's a surprising gift! I wasn't expecting it.

sorpresa [sorPRAYsah] *sust. fem.* **surprise**

Recibir tu carta ha sido una sorpresa.

It's been a surprise to receive your letter.

soso, a [SOso] *adj.* **tasteless**

Esta comida está sosa. No tiene sal.

This meal is tasteless. It needs some salt.

suave [SOOAHbay] *adj. masc. / fem.* **soft**

El algodón es suave.

Cotton is soft.

subir [sooBEER] *v. reg.* 3 **go up**

Este ascensor sube hasta el 5.º piso.

This elevator goes up to the fifth floor.

suceder [soothayDAYR] *v. reg.* 2 **happen**

A veces suceden cosas imprevistas.

Unexpected things happen sometimes.

▶ See *gustar.*

▶ This verb is always used in the third person.

sucio, a [SOOtheeo] *adj.* **dirty**

Lava la ropa sucia.

Wash the dirty clothes.

sudar [sooDAHR] *v. reg.* 1 **sweat**

Sudo mucho cuando hace calor.

I sweat a lot when it's hot.

sueldo [SOOAYLdo] *sust. masc.* **salary**

Cobra un buen sueldo.

She earns a good salary.

suelo [SOOAYlo] *sust. masc.* **floor**

il. pág. 341

sueño [SOOAYnyo] *sust. masc.* **dream**

He tenido un sueño maravilloso.

I've had a wonderful dream.

suerte [SOOAYRtay] *sust. fem.* **luck, lucky**

¡Qué suerte tienes!

You're so lucky!

tener buena / mala suerte **have good / bad luck**

He tenido mala suerte en el examen.

I've had bad luck in the exam.

suficiente [soofeeCEEAYNtay] *adj. masc. / fem.* **enough**

Tengo suficiente dinero para viajar.

I have enough money to travel.

sujetador [soohaytahDOR] *sust. masc.* **bra**

il. pág. 334

suspender [soospaynDAYR] *v. reg.* 2 **cancel / fail**

Han suspendido el concierto de los Rolling Stones.

They've cancelled the Rolling Stones concert.

Estoy triste. He suspendido el examen.

I'm sad. I've failed the exam.

T

tabaco [tahBAHko] *sust. masc.* **tobacco**

El tabaco es malo para la salud.

Tobacco is bad for the health.

también [tahmBEEAYN] *adv.* **also, too**

A mí también me gusta el arroz.

I like rice, too.

tampoco [tahmPOko] *adv.* **either**

Ella tampoco cocina.

She doesn't cook either.

taquilla [tahKEEyah] *sust. fem.* **ticket office**

Quedamos junto a la taquilla del teatro.

Let's meet at the theater ticket office.

tardar [tahrDAHR] *v. reg.* 1 **take (time)**

He tardado muy poco tiempo en llegar.

It took me very little time to get here.

tarde [TAHRday] *adv. y sust. masc.* **late / afternoon**

Hemos llegado tarde a la cita.

We've arrived late for the appointment.

Por la tarde hace más calor.

It's hotter in the afternoon.

T
t

tarta [TAHRtah] *sust. fem.* **cake**

Me encanta la tarta de chocolate.

I love chocolate cake.

taza [TAHthah] *sust. fem.* **cup**

il. pág. 339

té [TAY] *sust. masc.* **tea**

A mí me gusta el té con leche.

I like tea with milk.

techo [TAYcho] sust. masc. **ceiling**

il. pág. 340

temprano [taymPRAHno] *adv.* **early**

¿Volverás temprano de la fiesta?

Will you come back early from the party?

tenedor [taynayDOR] *sust. masc.* **fork**

il. pág. 339

tener [tayNAYR] *v. irreg.* 9 **have**

Tenemos mucha comida en el frigorífico.

We have a lot of food in the refrigerator.

terminar [tayrmeeNAHR] *v. reg.* 1 **finish**

¿Ha terminado ya la película?

Has the film finished already?

ternera [tayrNAYrah] *sust. fem.* **veal**

No me gustan los filetes de ternera.

I don't like veal steaks.

terraza [tayRRAHthah] *sust. fem.* **balcony**

il. pág. 341

texto [TAYKSto] *sust. masc.* **text**

El texto está escrito en árabe.

The text is written in Arabic.

tiempo [TEEAYMpo] *sust. masc.* **time / weather**

El tiempo pasa volando.

Time flies.

Hoy no he escuchado las noticias del tiempo.

I haven't heard the weather forecast today.

tijeras [teeHAYrahs] *sust. fem.* **scissors**

Estas tijeras cortan muy bien.

These scissors cut very well.

▶ Normally used in the plural form.

tío, a [TEEo] *sust.* **uncle, aunt**

il. pág. 347

tipo [TEEpo] *sust. masc.* **type**

¿Qué tipo de casa es?

What type of house is it?

T t

tirar [teeRAHR] *v. reg.* 1 **throw (away)**

Tira esa lata.

Throw that can away.

tocar [toKAHR] *v. reg.* 1 **touch / play**

No toques al gato: está durmiendo.

Don't touch the cat: it's sleeping.

il. pág. 335

todavía [todaBEEah] *adv.* **yet**

Todavía no ha aterrizado el avión.

The plane hasn't landed yet.

todo, a [TOdo] *adj.* **all**

Han venido todos mis amigos.

All my friends have come.

tomar [toMAHR] *v. reg.* 1 **take**

Me duele la cabeza. Tomaré una aspirina.

I have a headache. I'm going to take some aspirin.

Toma el colectivo para llegar a casa.

He takes the bus to get home.

▶ In this last case, a Spaniard would use *coger*.

tomar algo **have a drink**

He quedado con Pepe para tomar algo.

I'm meeting Pepe to have a drink.

---

torre [TOrray] *sust. fem.* **tower**

La torre de la iglesia es muy alta.

The church's tower is very high.

---

tortilla [torTEEyah] *sust. fem.* **omelette**

Para cenar hay tortilla de patata.

There's potato omelette for dinner.

---

tos [TOS] *sust. fem.* **cough**

Tiene fiebre y una tos terrible.

He has a fever and a terrible cough.

---

tostada [tosTAHdah] *sust. fem.* **(piece of) toast**

Desayuno una tostada con mantequilla.

I have a piece of toast with butter for breakfast.

---

trabajar [trahbahHAHR] *v. reg.* 1 **work**

Trabajo de ocho a tres.

I work from eight to three.

T t

tradicional [trahdeetheeoNAHL] *adj. masc. / fem.* **traditional**

Esta es una fiesta tradicional de aquí.

This is a traditional festival here.

traducir (de / a) [trahdooTHEER] *v. irreg.* 8 **translate**

He traducido ese texto del inglés al ruso.

I've translated that text from English into Russian.

traer [trahAYR] *v. irreg.* 15 **bring**

¿Has traído el libro de historia?

Have you brought your history book?

tráfico [TRAHfeeko] *sust. masc.* **traffic**

Hay mucho tráfico en el centro.

There is a lot of traffic in the city centre.

triste [TREEStay] *adj. masc. / fem.* **sad**

il. pág. 352

U

último, a [OOLteemo] *adj.* **last**

Estoy en el último lugar de la cola.

I'm the last one in line.

único, a [OOneeko] *adj.* **only**

Esta es la única peluquería del barrio.

This is the only hairdresser's salon in the neighborhood.

universidad [ooneebayrseeDAHD] *sust. fem.* **university**

Yo estudié en esta universidad.

I studied at this university.

urbanización [oorbahneethaTHEEON] *sust. fem.* **housing complex**

Vivimos en una urbanización de las afueras.

We live in a housing complex in the suburbs.

usar [ooSAHR] *v. reg.* 1 **use**

¿Vas a usar el coche? ¿Me lo dejas?

Are you going to use the car? Can I take it?

útil [OOteel] *adj. masc. / fem.* **useful**

El teléfono es muy útil cuando estás de viaje.

The telephone is very useful when you're traveling.

V

vaca [BAHkah] *sust. fem.* **cow**

il. pág. 336

vacaciones [bahkahTHEEOnays] *sust. fem.* **holidays, vacation**

En vacaciones voy a la montaña.

I take my vacation in the mountains.

estar de vacaciones **be on vacation**

Se levanta tarde porque está de vacaciones.

He's getting up late because he's on vacation.

▶ Normally used in the plural form.

vacío, a [baTHEEo] *adj.* **empty**

La botella está vacía. No tiene nada de agua.

The bottle is empty. It doesn't have any water.

vacuna [bahKOOnah] *sust. fem.* **vaccine**

Debes ponerte la vacuna contra la gripe.

You should get the flu vaccine.

valer [bahLAYR] *v. reg.* 13 **cost**

¿Cuánto vale esta mesa?

How much does this table cost?

vale **O.K.**

–¿Vamos al cine? –¡Vale!

–Should we go to the cinema? –O.K.!

---

valija [bahLEEhah] *sust. fem.* **suitcase**

il. pág. 356

▶ In Spain, *maleta*.

---

valioso, a [baLEEOso] *adj.* **valuable**

Estos pendientes son muy valiosos.

These earrings are very valuable.

---

variado, a [bahREEAHdo] *adj.* **varied**

En este restaurante el menú es muy variado.

This restaurant has a very varied menu.

---

vaso [BAHso] *sust. masc.* **glass**

il. pág. 339

---

vecino, a [bayTHEEno] *sust. y adj.* **neighbor**

Hola, soy tu vecina.

Hi, I'm your neighbor.

---

venir [bayNEER] *v. irreg.* 14 **come**

Viene a cenar con nosotros todos los viernes.

He comes over for dinner every Friday.

---

ventana [baynTAHnah] *sust. fem.* **window**

il. pág. 340

ver [BAYR] *v.* 2 **see**

Veo a Marta todos los días.

I see Marta every day.

Participio irregular
visto

verdad [bayrDAHD] *sust. fem.* **truth**

No sé si me has dicho toda la verdad.

I don't know if you've told me the whole truth.

de verdad **really**

¿De verdad que no vas a venir?

Are you really not going to come?

verdura [bayrDOOrah] *sust. fem.* **vegetables**

Es muy sano comer verdura.

It's very healthy to eat vegetables.

vereda [bayRAYdah] *sust. fem.* **pavement, sidewalk**

il. pág. 348

▶ In Spain, *acera*.

vergüenza [bayrGOOAYNthah] *sust. fem.* **embarrassed**

Tengo mucha vergüenza. No quiero ir.

I'm very embarrassed. I don't want to go.

dar vergüenza **be embarrassed**

Me da vergüenza hablar en público.

I'm embarrassed to speak in public.

vestido [baysTEEdo] *sust. masc.* **dress**

il. pág. 332

vestirse [baysTEERsay] *v. irreg.* 7 **get dressed**

Mi hermano siempre tarda mucho en vestirse.

My brother always takes a long time to get dressed.

vez [BAYTH] *sust. fem.* **time**

Hoy he ido por primera vez al teatro.

Today I went to the theater for the first time.

a veces **sometimes**

A veces tomo café.

I sometimes have coffee.

tal vez **maybe**

Tal vez Rosa no está segura.

Maybe Rosa is not sure.

a veces / *sometimes*
alguna vez / *once in a while*
algunas veces / *sometimes*
muchas veces / *often*

viajar [beeahHAHR] *v. reg.* 1 **travel**

Me encanta viajar por el mundo.

I love traveling around the world.

viaje [VEEAHhay] *sust. masc.* **trip**

Este es mi primer viaje a la India.

This is my first trip to India.

vida [BEEdah] *sust. fem.* **life**

La vida en el campo es más tranquila.

Life in the countryside is calmer.

viejo, a [bEEAYho] *adj.* **old**

Mis padres ya son muy viejos.

My parents are already very old.

viento [BEEAYNto] *sust. masc.* **wind**

El viento soplaba muy fuerte.

The wind was blowing very hard.

vinagre [beeNAHgray] *sust. masc.* **vinegar**

Me gusta echar mucho vinagre en la ensalada.

I like putting a lot of vinegar on my salad.

vino [BEEno] *sust. masc.* **wine**

España es muy famosa por su vino.

Spain is famous for its wine.

vino tinto / blanco / rosado **red / white / rosé wine**

Me gusta tomar vino tinto con la carne.

I like drinking red wine with meat.

visitar [beeseeTAHR] *v. reg.* 1 **visit**

Voy al hospital a visitar a mi tío.

I'm going to the hospital to visit my uncle.

viudo, a [BEEOOdo] *adj.* **widower, widow**

Pilar está viuda. Su marido ha muerto.

Pilar is a widow. Her husband died.

vivir [beeBEER] *v. reg.* 3 **live**

–¿Dónde vives? –En México.

–Where do you live? –In Mexico.

volar [boLAHR] *v. irreg.* 5 **fly**

Los pájaros vuelan muy alto.

Birds fly very high.

volver [bolBAYR] *v. irreg.* 5 **come back**

¿Cuándo vuelves de Estados Unidos?

When are you coming back from the United States?

voz [BOTH] *sust. fem.* **voice**

Maria Callas tenía una voz maravillosa.

Maria Callas had a wonderful voice.

Y

ya [YAH] *adv.* **already**

Ya he ido a la compra.

I've already done the shopping.

Z

zanahoria [thanahOreeah] *sust. fem.* **carrot**
il. pág. 346

zapatilla [thapaTEEyah] *sust. fem.* **slipper**
Estas zapatillas son muy cómodas.
These slippers are very comfortable.

zapato [thaPAHto] *sust. masc.* **shoe**
Estos zapatos me hacen daño. Son pequeños.
These shoes hurt me. They're too small.
zapatos de / sin tacón **high-heeled / flat shoes**
Los zapatos de tacón son muy elegantes.
High-heeled shoes are very elegant.

zona [THOnah] *sust. fem.* **area**
Esta es la zona comercial de la ciudad.
This is the commercial area of the city.

zumo [THOOmo] *sust. masc.* **juice**
Me gusta el zumo de tomate.
I like tomato juice.
▶ In Latin America, *jugo*.

INGLÉS
ESPAÑOL

A

abroad **extranjero**

I lived abroad because my father is a diplomat.

Viví en el extranjero porque mi padre es diplomático.

accident **accidente**

She had a car accident last summer.

Tuvo un accidente de coche el verano pasado.

ache **doler, dolor**

Mary has eaten too much and has a stomachache.

Mary ha comido demasiado y le duele el estómago.

actor, actress **actor, actriz**

Jodie Foster is an excellent actress.

Jodie Foster es una actriz excelente.

add **echar**

Add some sugar to my coffee, please.

Échame azúcar en el café, por favor.

address **dirección**

I can't go to the party because I don't have the address.

No puedo ir a la fiesta porque no tengo la dirección.

adult **adulto, a**

They organised a concert for children and adults.

Organizaron un concierto para niños y adultos.

adventure **aventura**

The trip to China was an adventure.

El viaje a China fue una aventura.

advertisement **anuncio**

Some television channels have too many advertisements.

Algunos canales de televisión tienen demasiados anuncios.

advice **consejo**

I followed her advice and gave up smoking.

Seguí su consejo y dejé de fumar.

advise **aconsejar**

The doctors have advised me to rest.

Los médicos me han aconsejado descansar.

(be) afraid **tener miedo**

I'm afraid of cockroaches.

Tengo miedo de las cucarachas.

after **después**

Your brother arrived after me.

Tu hermano llegó después que yo.

afternoon **tarde**

Silvia is going to the movies this afternoon.

Silvia va a ir al cine esta tarde.

in the afternoon **por la tarde**

I saw your mother in the afternoon.

Vi a tu madre por la tarde.

---

agency **agencia**

There's an inexpensive travel agency that street.

Hay una agencia de viajes muy barata en esa calle.

---

air **aire**

There's too much smoke; I need some fresh air.

Hay demasiado humo; necesito aire fresco.

air conditioning **aire acondicionado**

It's very hot. Turn on the air conditioning.

Hace mucho calor. Enciende el aire acondicionado.

---

alarm **alarma**

The alarm is ringing.

Está sonando la alarma.

---

alarm clock **despertador**

I arrived late because my alarm clock didn't go off.

He llegado tarde porque el despertador no ha sonado.

all **todo, a**

All the houses were green.

Todas las casas eran verdes.

almost **casi**

When he was skiing he almost fell down.

Cuando estaba esquiando casi se cayó.

alone **solo, a**

He was eating alone in the restaurant.

Estaba comiendo solo en el restaurante.

already **ya**

I've already been here before.

Ya he estado aquí antes.

also **además, también**

I'd also like some sugar, please.

También querría un poco de azúcar, por favor.

I like that skirt, and it's also inexpensive.

Me gusta esa falda y además es barata.

always **siempre**

I'll always love you.

Siempre te amaré.

ambulance **ambulancia**

When the ambulance arrived, he had already died.

Cuando llegó la ambulancia, ya había muerto.

A
a

anniversary **aniversario**

Today is our 10th wedding anniversary.

Hoy es nuestro décimo aniversario de bodas.

another **otro, a**

Can you give me another piece of bread?

¿Puedes darme otro trozo de pan?

answer **contestación, contestar**

Her answer was “yes”.

Su contestación fue sí.

ant **hormiga**

Sara’s kitchen is full of ants.

La cocina de Sara está llena de hormigas.

apartment, flat **apartamento, piso**

They have an apartment on Fifth Avenue in New York.

Tienen un piso en la Quinta Avenida de Nueva York.

apologize **disculpar**

We apologize for the interruption.

Disculpen por la interrupción.

appetizer **aperitivo**

They like having an appetizer before lunch.

Les gusta tomar el aperitivo antes de comer.

apple **manzana**

They sell very good apples at the supermarket.

Venden unas manzanas muy buenas en el supermercado.

appointment **cita**

My mother has an appointment with the gynecologist.

Mi madre tiene una cita con el ginecólogo.

architect **arquitecto, a**

That architect designed and built his own house.

Ese arquitecto diseñó y construyó su propia casa.

area **zona**

He lives in a residential area of Minneapolis.

Vive en una zona residencial de Minneapolis.

arm **brazo**

He lost an arm in the war.

Perdió un brazo en la guerra.

armchair **sillón**

My grandfather always sat in the same armchair.

Mi abuelo siempre se sentaba en el mismo sillón.

around **alrededor (de)**

There are trees around the house.

Hay árboles alrededor de la casa.

arrange **ordenar**

He began arranging his paperwork.

Empezó a ordenar los papeles.

arrest **detener**

She was arrested for driving without a license.

La detuvieron por conducir sin carné.

arrival **llegada**

At the airport there are "arrival" and "departure" signs.

En el aeropuerto hay carteles de "llegadas" y "salidas".

arrive **llegar**

The train arrived on time.

El tren llegó a su hora.

arrow **flecha**

The red arrow indicates the path we have to take.

La flecha roja indica el camino que tenemos que seguir.

art **arte**

My niece is studying contemporary art.

Mi sobrina está estudiando arte contemporáneo.

artist **artista**

Renoir is a famous artist.

Renoir es un artista famoso.

ashtray **cenicero**

Can you pass me an ashtray?

¿Puedes pasarme un cenicero?

ask **pedir**

The kids asked him for candy.

Los niños le pidieron caramelos.

aspirin **aspirina**

I'm sorry but we don't have any aspirin here.

Lo siento pero no tenemos aspirinas aquí.

athlete **atleta**

Athletes are supervised by a coach.

Los atletas son supervisados por un entrenador.

atmosphere **ambiente**

I really liked the atmosphere of the party.

Me encantó el ambiente de la fiesta.

attic **buhardilla**

Put that upstairs in the attic.

Sube eso a la buhardilla.

aunt **tía**

When are you going to come to visit us, aunt Susan?

¿Cuándo vas a venir a visitarnos, tía Susan?

A a

avenue **avenida**

I live on an avenue in Manhattan.
Vivo en una avenida de Manhattan.

B

back **espalda / atrás**

I have a backache.

Me duele la espalda.

Look for us at the back of the movie theater.

Búscanos en la parte de atrás del cine.

backpack **mochila**

Don't forget to bring your backpacks, O.K.?

No os olvidéis de traer vuestras mochilas, ¿vale?

bad **malo, a**

Smoking is bad for the health.

Fumar es malo para la salud.

bag **bolsa**

I can only carry two bags because they're too heavy.

Sólo puedo llevar dos bolsas porque pesan demasiado.

bakery **panadería**

Christy loved the bakeries in Paris.

A Christy le encantaron las panaderías de París.

balcony **balcón, terraza**

Her balcony was full of flowers.

Tenía el balcón lleno de flores.

bald **calvo, a**

At age 40 he was almost bald.

A los 40 ya estaba casi calvo.

ball **balón, pelota**

They bought tennis balls the other day.

El otro día compraron pelotas de tenis.

bank **banco**

Banks are closed at weekends.

Los bancos están cerrados los fines de semana.

bathroom **cuarto de baño**

The Smiths have two bathrooms.

Los Smith tienen dos cuartos de baño.

bathroom sink, washbasin **lavabo**

I'm going to wash my hands in the bathroom sink.

Voy a lavarme las manos en el lavabo.

be **ser / estar**

To be or not to be; that is the question.

Ser o no ser; esa es la cuestión.

Pepe is in Sevilla.

Pepe está en Sevilla.

beach **playa**

We're going to go to the beach to relax.

Vamos a ir a la playa a descansar.

beard **barba**

He had a long and white beard.

Tenía una barba larga y blanca.

beat **pegar**

Boys, stop beating that poor dog!

¡Niños, dejad de pegar a ese pobre perro!

beautiful **bonito, a, lindo, a**

They have a beautiful house in California.

Tienen una casa bonita en California.

become **convertirse (en)**

He's become a handsome young man.

Se ha convertido en un joven apuesto.

bedroom **dormitorio, habitación**

Her bedroom overlooks the sea.

Su habitación da al mar.

beer **cerveza**

I like drinking beer.

Me gusta beber cerveza.

before **antes (de)**

They went for a drink before the exam.

Fueron a tomar algo antes del examen.

B
b

behind **detrás (de)**

The chair is behind the table.

La silla está detrás de la mesa.

believe **creer**

I believe you and trust you.

Te creo y confío en ti.

bench **banco**

There are no benches in this park.

No hay bancos en este parque.

beware **¡cuidado!**

Beware! Don't cross the street.

¡Cuidado! No cruces la calle.

bicycle **bicicleta**

Each member of the family has a bicycle.

Cada miembro de la familia tiene una bicicleta.

big **grande**

They have a very big house.

Tienen una casa muy grande.

bill **billete / factura**

I have a one dollar bill.

Tengo un billete de un dólar.

They sent me a bill last week.

Me enviaron una factura la semana pasada.

birth **nacimiento**

He's been deaf since birth.

Es sordo de nacimiento.

birthday **cumpleaños**

–When is your birthday? –Next Friday.

–¿Cuándo es tu cumpleaños? –El viernes que viene.

bitter **amargo, a**

Grapefruit is very bitter.

El pomelo es muy amargo.

blanket **manta**

Could you bring me a blanket? I'm frozen.

¿Podrías traerme una manta? Estoy helado.

blind **ciego, a / persiana**

He's blind and sells lottery tickets.

Es ciego y vende billetes de lotería.

Roll down the blind. I'm going to sleep.

Baja la persiana, que voy a dormir.

blonde **rubio, a**

She has beautiful blonde hair.

Tiene un pelo rubio precioso.

blood **sangre**

They save blood at the Red Cross.

Donaron sangre en la Cruz Roja.

blouse **blusa**

She wore a red blouse and a black skirt to the party.

Llevó una blusa roja y una falda negra a la fiesta.

board **embarcar**

Steven boarded at the last moment.

Steven embarcó en el último momento.

boil **hervir**

The water is boiling.

El agua está hirviendo.

bone **hueso**

She fell down and broke a bone.

Se cayó y se rompió un hueso.

book **libro**

He enjoys going to the library to read books.

Le gusta ir a la biblioteca a leer libros.

bookshop, bookstore **librería**

Sheffield has a lot of second-hand bookshops.

Sheffield tiene muchas librerías de segunda mano.

(be) bored, boring **aburrirse; aburrido, a**

Mary was very bored and left.

Mary estaba muy aburrida y se marchó.

(be) born **nacer**

He was born in England but lives in Switzerland.

Nació en Inglaterra pero vive en Suiza.

bother **molestar**

Can I bother you for a second?

¿Te puedo molestar un momento?

bottle **botella**

We've brought a bottle of wine to the dinner.

Hemos traído una botella de vino para la cena.

box **caja**

She bought a box of matches at the supermarket.

Compró una caja de cerillas en el supermercado.

boy **chico, a; niño, a**

This boy is very naughty.

Este niño es muy travieso.

boyfriend **novio**

Charlotte has a German boyfriend.

Charlotte tiene un novio alemán.

bra **sujetador**

She's been wearing a bra since she was twelve.

Lleva sujetador desde que tenía doce años.

B b

bracelet **pulsera**

My grandparents have offered me a bracelet.

Mis abuelos me han regalado una pulsera.

bread **pan**

We buy bread every day.

Compramos pan todos los días.

loaf of bread **barra de pan**

They bought four loaves of bread at the supermarket.

Compraron cuatro barras de pan en el supermercado.

sliced bread **pan de molde**

He used sliced bread to make sandwiches.

Utilizó pan de molde para hacer bocadillos.

wholemeal bread **pan integral**

Wholemeal bread is healthier than white bread.

El pan integral es más saludable que el pan blanco.

break **descanso**

He worked without a break.

Trabajó sin descanso.

breakfast **desayuno**

Breakfast is the first meal of the day.

El desayuno es la primera comida del día.

breathe — **respirar**

I can't breathe with this smoke.

No puedo respirar con este humo.

bright — **luminoso, a**

Your apartment is very bright.

Tu apartamento es muy luminoso.

bring — **traer**

He brought us some souvenirs from Turkey.

Nos trajo algunos recuerdos de Turquía.

broken — **roto, a**

This computer is broken. Buy a new one.

Este ordenador está roto. Compra uno nuevo.

broom — **cepillo, escoba**

Bring me the broom.

Tráeme la escoba.

brother — **hermano**

He has two brothers and a sister.

Tiene dos hermanos y una hermana.

brother-in-law — **cuñado**

He gets along very well with his brother-in-law.

Se lleva muy bien con su cuñado.

brush **cepillo**

She used a brush to untangle his hair.

Utilizó un cepillo para desenredarse el pelo.

build **construir**

They're building a new housing complex.

Están construyendo una nueva urbanización.

burn **quemar(se)**

They burned some wood to make a fire.

Quemaron madera para hacer una hoguera.

bus **autobús, colectivo**

They took the bus to visit Segovia.

Cogieron el autobús para visitar Segovia.

bus stop **parada de autobús**

There is a bus stop by my house.

Hay una parada de autobús al lado de mi casa.

business **negocio**

They set up a business after they graduated.

Montaron un negocio al terminar la carrera.

butter **mantequilla**

She puts butter and jam on her toast.

Pone mantequilla y mermelada en su tostada.

buy **comprar**

The Morgans bought a new house last year.

Los Morgan compraron una casa nueva el año pasado.

C

cake **pastel, tarta**

I love chocolate cakes.

Me encantan los pasteles de chocolate.

calendar **calendario**

She has a wall calendar.

Tiene un calendario de pared.

call **llamar**

When you feel lonely, call me.

Cuando te sientas solo llámame.

can **lata / poder**

They sell drinks in bottles or cans.

Venden bebidas en botella o en lata.

I can play tennis even if I'm hurt.

Puedo jugar al tenis aunque esté lesionado.

cancel **suspender**

They've cancelled all the flights.

Han suspendido todos los vuelos.

candy, sweet **caramelo**

The kids were given candy at the party.

Los niños recibieron caramelos en la fiesta.

cap **gorra**

Mitchell always wears his cap at football matches.

Mitchell siempre lleva su gorra en los partidos de fútbol.

car **carro, coche**

Their son has bought a car to go to university.

Su hijo se ha comprado un coche para ir a la universidad.

carrot **zanahoria**

Carrots are good in salads.

La zanahoria es buena en las ensaladas.

cartoons **dibujos animados**

He watches cartoons in the morning.

Por la mañana ve dibujos animados.

cat **gato, a**

The cat had kittens.

La gata tuvo gatitos.

ceiling **techo**

There is a spider on the ceiling.

Hay una araña en el techo.

celebrate **celebrar**

They celebrated their birthday together.

Celebraron su cumpleaños juntos.

cent **céntimo**

I owe you 4 dollars and 5 cents.

Te debo 4 dólares y 5 céntimos.

center, centre **centro**

They live in the city centre.

Viven en el centro de la ciudad.

cereal **cereales**

He has cereal every morning for breakfast.

Toma cereales todas las mañanas para desayunar.

chair **silla**

There are twenty chairs in this room.

Hay veinte sillas en esta sala.

(by) chance **por casualidad**

She ran into her old boyfriend by chance.

Se encontró por casualidad con su antiguo novio.

change **cambiar**

I'm going to change my hair style.

Voy a cambiar de peinado.

charming **encantador, a**

She's a charming old lady.

Es una señora mayor encantadora.

cheap **barato, a**

That skirt is very cheap; you should buy it.

Esa falda es muy barata; deberías comprarla.

cheer up **¡ánimo!**

Cheer up! Tomorrow is Friday!

¡Ánimo! Mañana es viernes.

cheerful **alegre**

This is an intelligent and cheerful dog.

Este es un perro inteligente y alegre.

cheese **queso**

They bought some cheese when they went to Switzerland.

Compraron queso cuando fueron a Suiza.

chest **pecho**

He has a hairy chest.

Tiene pelo en el pecho.

chestnut-brown **castaño, a**

His sister's hair is chestnut-brown.

Su hermana es castaña.

chin **barbilla**

He likes touching his chin when he's thinking.

Le gusta tocarse la barbilla cuando piensa.

choice **elección**

They made a good choice in buying the house.

Hicieron una buena elección al comprar la casa.

choose **elegir**

You have to choose one or the other.

Tienes que elegir uno de los dos.

church **iglesia**

His parents go to church from time to time.

Sus padres van a la iglesia de vez en cuando.

cigarette **cigarrillo**

Don't smoke more cigarettes.

No fumes más cigarrillos.

circus **circo**

Kids love going to the circus.

A los niños les encanta ir al circo.

citizen **ciudadano**

Citizens have the right to vote.

Los ciudadanos tienen derecho a votar.

city **ciudad**

London is my favorite city.

Londres es mi ciudad favorita.

classical **clásico, a**

They teach classical ballet.

Enseñan ballet clásico.

clean **limpiar**

That woman usually cleans all day.

Esa mujer suele limpiar todo el día.

clear **claro, a**

It was a clear but windy day.

Hacía un día claro pero con viento.

close **cerrar**

The teacher closed the door and began his class.

El profesor cerró la puerta y comenzó la clase.

closed **cerrado, a**

The street is closed for construction.

La calle está cerrada por obras.

clothes **ropa**

The clothes are dirty. Let's wash them.

La ropa está sucia. Vamos a lavarla.

cloud **nube**

There are no clouds in the sky.

No hay nubes en el cielo.

coat **abrigo**

You need a coat in the winter.

En invierno necesitas llevar abrigo.

coffee **café**

Let's have a break and go for a coffee.

Vamos a descansar y tomarnos un café.

coincidence **casualidad**

What a coincidence!

¡Qué casualidad!

cold **fresco, a; frío, a**

He likes to drink very cold beer.

A él le gusta tomar la cerveza muy fría.

collide **chocar (con)**

The car collided with a truck.

El coche chocó con un camión.

comb **peine**

She had a comb in her purse.

Tenía un peine en el bolso.

come **venir**

Come to see me soon, O.K.?

Ven a verme pronto, ¿vale?

come back **regresar, volver**

They decided to come back after 10 years abroad.

Decidieron regresar después de 10 años en el extranjero.

come closer **acercarse**

Come closer, so I can see you better.

Acércate para que te pueda ver mejor.

come with **acompañar**

My aunt always came with me to the market.

Mi tía siempre me acompañaba al mercado.

comfortable **cómodo, a**

These trousers are very comfortable.

Estos pantalones son muy cómodos.

comforter, duvet **edredón**

She prefers sleeping with a comforter.

Prefiere dormir con edredón.

common **habitual**

It's common to have a television at home.

Es habitual tener un televisor en casa.

compare **comparar (con)**

Helen doesn't like comparing her children.

A Helen no le gusta comparar a sus hijos.

C
C

computer **computadora, ordenador**

Peter does his homework with the computer.

Peter hace sus deberes con el ordenador.

computer science **informática**

Computer science has become an important field.

La informática se ha convertido en un campo importante.

concert **concierto**

There's a concert on Friday. Are you going to go?

Hay un concierto el viernes. ¿Vas a ir?

congratulations **enhorabuena**

You won the lottery. Congratulations!

Has ganado a la lotería. ¡Enhorabuena!

container **contenedor, envase**

There's a yellow container outside our house.

Hay un contenedor amarillo fuera de nuestra casa.

conversation **conversación**

We had an interesting conversation about drugs.

Tuvimos una conversación interesante sobre las drogas.

cook **cocinar**

I'll cook if you do the dishes.

Yo cocino si tú lavas los platos.

corner **esquina**

There's a bakery at the street corner.

Hay una panadería en la esquina de la calle.

correct **corregir**

Correct me when I speak Spanish, O.K.?

Corrígeme cuando hable español, ¿vale?

corridor **pasillo**

I like long corridors.

Me gustan los pasillos largos.

cost **costar, valer**

How much does this shirt cost?

¿Cuánto cuesta esta camisa?

cotton **algodón**

Cotton is used to make clothes.

El algodón se utiliza para hacer ropa.

couch **sofá**

This couch is comfortable and soft.

Este sofá es cómodo y blando.

cough **tos**

What a cough! You should go to the doctor.

¡Qué tos! Deberías ir al médico.

count **contar**

The child still doesn't know how to count.

El niño aún no sabe contar.

course **curso**

I'm taking a course in photography.

Estoy haciendo un curso de fotografía.

cow **vaca**

The cows were grazing in the mountains.

Las vacas pastaban en las montañas.

crazy **loco, a**

He's crazy for you.

Está loco por ti.

cream **nata**

Could you bring me some cream instead of milk?

¿Podría traerme nata en lugar de leche?

create **crear**

They've created a new language to communicate.

Han creado un nuevo idioma para comunicarse.

crime **crimen**

He's committed a crime.

Ha cometido un crimen.

cross **cruzar**

Louis crossed the street without looking.

Louis cruzó la calle sin mirar.

crossword **crucigrama**

She does crosswords before going to sleep.

Hace crucigramas antes de dormirse.

cry **llorar**

The baby was crying.

El bebé estaba llorando.

crystal **cristal**

The glasses are made of blue crystal.

Las copas están hechas de cristal azul.

cup **taza**

I'm going to make a cup of tea.

Voy a preparar una taza de té.

curious **curioso, a**

Kids are curious. They ask all kinds of questions.

Los niños son curiosos. Hacen todo tipo de preguntas.

curve **curva**

There's a dangerous curve after that tunnel.

Hay una curva peligrosa después de ese túnel.

customs **aduana**

The police stopped us at customs.

La policía nos paró en la aduana.

cut **cortar(se)**

He cut his finger.

Se cortó el dedo.

D

dance **bailar**

They danced the whole night.

Bailaron toda la noche.

danger **peligro**

His life is in danger.

Su vida está en peligro.

dark **oscuro, a / moreno, a**

The tunnel was very dark.

El túnel estaba muy oscuro.

You don't get sunburned because you're dark-skinned.

Tú no te quemas porque eres moreno.

date **cita / fecha**

I have a date with Jonathan.

Tengo una cita con Jonathan.

The teacher wrote the date on the blackboard.

El profesor escribió la fecha en la pizarra.

have a date **tener una cita**

Peter has a date with his girlfriend today.

Peter tiene hoy una cita con su novia.

D
d

daughter **hija**

My daughter Sylvia is going to be a nurse.

Mi hija Silvia va a ser enfermera.

day **día**

There are seven days is a week.

La semana tiene siete días.

the day before yesterday **anteayer**

We went to the zoo the day before yesterday.

Anteayer fuimos al zoo.

during the day **de día**

They traveled during the day and rested at night.

Viajaron de día y descansaron de noche.

deaf **sordo, a**

He's been deaf and blind since birth.

Es sordo y ciego de nacimiento.

decide **decidir**

I still haven't decided anything.

Todavía no he decidido nada.

decision **decisión**

It was a difficult decision for me.

Fue una decisión difícil para mí.

declare **declarar**

I have nothing to declare.

No tengo nada que declarar.

degree **carrera**

He has a degree in biology.

Tiene la carrera de biología.

dentist **dentista**

The dentist pulled her tooth out.

El dentista le sacó la muela.

deny **negar**

He denied the accusations.

Negó las acusaciones.

depend **depender (de)**

It all depends on the weather.

Todo depende del tiempo.

depressed **deprimido, a**

Susan was depressed and sad.

Susan estaba deprimida y triste.

describe **describir**

Describe the house you live in.

Describe la casa en la que vives.

D d

desk lamp **flexo**

I have a desk lamp on my table.

Tengo un flexo en la mesa.

dessert **postre**

And for dessert we have ice cream.

Y de postre tenemos helado.

dialogue **diálogo**

Dialogue is very important in the family.

El diálogo es muy importante en la familia.

die **morirse**

He died of cancer.

Se murió de cáncer.

diet **dieta**

She's on a diet.

Está a dieta.

difference **diferencia**

There are differences between them.

Hay diferencias entre ellos.

difficult **difícil**

They're going through a difficult time.

Están pasando por una época difícil.

dinner **cena**

I prepared dinner last night.

Preparé la cena anoche.

dirty **sucio, a**

His shirt and trousers were all dirty.

Tenía la camisa y los pantalones sucios.

disappear **desaparecer**

The girl disappeared in the afternoon.

La chica desapareció por la tarde.

disaster **desastre**

The party was a disaster.

La fiesta fue un desastre.

discover **descubrir**

Christopher Columbus discovered America.

Cristobal Colón descubrió América.

disease **enfermedad**

I have a rare skin disease.

Tengo una enfermedad de piel poco común.

dish **plato**

He likes trying different dishes.

Le gusta probar platos diferentes.

dishwasher **lavavajillas**

Our dishwasher has broken.

Nuestro lavavajillas se ha roto.

do **dedicarse (a) / hacer**

What does your mother do?

¿A qué se dedica tu madre?

I'm doing lots of things.

Estoy haciendo muchas cosas.

do the dishes **fregar**

He doesn't like doing the dishes.

A él no le gusta fregar los platos.

do the shopping **ir a la compra**

Who does the shopping in your house?

¿Quién va a la compra en tu casa?

doctor **médico**

Cathy has an appointment with the doctor.

Cathy tiene un cita con el médico.

doll **muñeca**

The girl has a doll that cries and laughs.

La niña tiene una muñeca que llora y ríe.

downstairs **abajo**

My room is downstairs.

Mi habitación está abajo.

dozen **docena**

Judie bought a dozen eggs.

Judie compró una docena de huevos.

half a dozen **media docena**

They only sold half a dozen eggs that morning.

Solo vendieron media docena de huevos esa mañana.

draw **dibujar**

The kids drew a Christmas tree.

Los niños dibujaron un árbol de Navidad.

drawer **cajón**

That wardrobe has four drawers.

Ese armario tiene cuatro cajones.

dream **soñar, sueño**

Tim thinks that he doesn't dream when he's asleep.

Tim piensa que no sueña cuando está durmiendo.

dress **vestido**

She wore a green dress at the wedding.

Llevó un vestido verde a la boda.

drink **beber, bebida**

Doctors recommend drinking two litres of water a day.

Los médicos aconsejan beber dos litros de agua por día.

have a drink **tomar algo**

We're going to have a drink together.

Vamos a tomar algo juntos.

---

drive **conducir, manejar**

Derek drives well at night.

Derek conduce bien de noche.

---

driver **conductor, a**

John is a bus driver.

John es conductor de autobús.

---

dry **seco, a**

My mouth is dry.

Tengo la boca seca.

---

dustbin **cubo de la basura**

Throw this box in the dustbin.

Tira esta caja al cubo de la basura.

E

ear **oído**

He has a good ear for music.

Tiene un buen oído para la música.

early **pronto, temprano**

He gets up early in the morning.

Se levanta temprano por la mañana.

earn **ganar**

He earns almost $30,000 a year.

Él gana casi 30.000 dólares al año.

earrings **pendientes**

She is wearing silver earrings.

Ella lleva pendientes de plata.

easy **fácil, sencillo, a**

This book is easy to read.

Este libro es fácil de leer.

eat **comer**

Let's eat. I'm hungry.

Vamos a comer. Tengo hambre.

education **educación**

He only received a basic education.

Sólo recibió una educación básica.

egg **huevo**

She put five eggs in the omelette.

Puso cinco huevos en la tortilla.

either **tampoco**

I don't like soup either.

A mí tampoco me gusta la sopa.

elderly **mayor**

The bus was full of elderly ladies.

El autobús estaba lleno de señoras mayores.

elections **elecciones**

The elections took place in May.

Las elecciones se celebraron en mayo.

electrician **electricista**

The electrician installed the dishwasher.

El electricista instaló el lavavajillas.

elegant **elegante**

He wore a very elegant suit.

Llevaba un traje muy elegante.

elevator, lift **ascensor**

That building doesn't have a lift.

Ese edificio no tiene ascensor.

e-mail **correo electrónico**

Write down my e-mail address.

Apunta mi dirección de correo electrónico.

(be) embarrassed **tener vergüenza, dar vergüenza**

I'm embarrassed to go to the party.

Me da vergüenza ir a la fiesta.

empty **vacío, a**

The box is empty.

La caja está vacía.

enjoy **disfrutar (de)**

We enjoyed the play very much.

Disfrutamos mucho de la obra de teatro.

enough **suficiente**

He doesn't have enough money to go to the movies.

No tiene dinero suficiente para ir al cine.

entrance **entrada**

The entrance is right over there.

La entrada está ahí.

envelope **sobre**

I need an envelope and a stamp.

Necesito un sobre y un sello.

environment **medio ambiente**

Greenpeace defends the environment.

Greenpeace defiende el medio ambiente.

envy **envidiar**

She envies her sister.

Envidia a su hermana.

eraser **borrador**

Use your erasers during the exam.

Utilizad vuestros borradores durante el examen.

escape **escaparse (de)**

The prisoners escaped at night.

Los prisioneros se escaparon por la noche.

European **europeo, a**

Germany is a European country.

Alemania es un país europeo.

every **cada**

I go for a walk every morning.

Voy a dar un paseo cada mañana.

everybody **todo el mundo**

Everybody agreed to go bowling.

Todo el mundo quiso ir a jugar a los bolos.

evolve **evolucionar**

These animals evolved very rapidly.

Estos animales evolucionaron muy rápidamente.

exam **examen**

He has an exam at 8 in the morning.

Tiene un examen a las 8 de la mañana.

example **ejemplo**

Give me an example.

Ponme un ejemplo.

for example **por ejemplo**

Switzerland, for example, has four official languages.

Suiza, por ejemplo, tiene cuatro idiomas oficiales.

except **excepto**

All the ladies laughed except Mary.

Todas las mujeres excepto Mary se rieron.

exchange **cambiar**

He exchanged dollars for pounds.

Cambió dólares por libras.

E
e

excursion **excursión**

They organized an excursion to the countryside.

Organizaron una excursión al campo.

exercise **ejercicio**

These exercises will help you speak better.

Estos ejercicios te ayudarán a hablar mejor.

get exercise **hacer ejercicio**

You should get some exercise.

Deberías hacer ejercicio físico.

exhibition **exposición**

I´m not going to so to the exhibition.

No voy a ir a la exposición.

exit **salida**

They ran towards the exit.

Corrieron a la salida.

expel **expulsar (de)**

He was expelled from the club.

Le expulsaron del club.

expensive **caro, a**

The hotel was very expensive.

El hotel era muy caro.

expire **caducar**

His residence permit expires in four years.

Su permiso de residencia caduca dentro de cuatro años.

explain **explicar**

He never explained why he had left.

Nunca explicó el motivo por el que se había marchado.

F

face **cara**

She put makeup on her face.

Se maquilló la cara.

fail **suspender**

He failed his test.

Suspendió el examen.

faint **desmayarse**

Otis fainted when he heard the news.

Otis se desmayó al escuchar la noticia.

fall **caerse**

Little Susan fell and hurt her knee.

La pequeña Susan se cayó y se hizo daño en la rodilla.

fall in love **enamorarse (de)**

She's fallen in love with her biology teacher.

Se ha enamorado de su profesor de biología.

false **falso, a**

Those rumours are false.

Esos rumores son falsos.

famous **famoso, a**

She is a famous singer.

Ella es una cantante famosa.

fan **aficcionado, a (a)**

He's a basketball fan.

Es un aficionado al baloncesto.

far **lejos (de)**

They live far from the city.

Viven lejos de la ciudad.

fast **deprisa, rápido, a**

He runs very fast.

Él corre muy deprisa.

fasten **abrocharse**

My son fastened his belt buckle.

Mi hijo se abrochó el cinturón.

fat **gordo, a**

My father is fat: he weighs 240 pounds.

Mi padre está gordo: pesa 240 libras.

father **padre**

Their father died last year.

Su padre murió el año pasado.

favor, favour **favor**

Do me a favor, O.K.?

Hazme un favor, ¿quieres?

feel **sentir(se)**

I feel bad about what happened.

Me siento mal por lo que pasó.

feel like **apetecer**

Laura feels like having ice cream.

A Laura le apetece tomar un helado.

film **película**

I've seen the film *Out of Africa* ten times.

He visto la película Memorias de África *diez veces.*

find **encontrar**

He finally found his watch.

Al final encontró su reloj.

fine **bien**

I was sick, but now I feel fine.

He estado enfermo, pero ahora estoy bien.

finger **dedo**

He lost a finger during the war.

Perdió un dedo en la guerra.

finish **acabar, terminar**

I have to finish this exercise by Monday.

Tengo que terminar este ejercicio para el lunes.

fire **fuego**

They lit a fire and sat by the chimney.

Hicieron un fuego y se sentaron junto a la chimenea.

fish **pescado**

Fresh fish are sold at the market.

Venden pescado fresco en el mercado.

fit **caber**

This bicycle doesn't fit in the car.

Esta bicicleta no cabe en el coche.

flatmate, roommate **compañero, a**

He has three flatmates.

Tiene tres compañeros de piso.

floor **planta / suelo**

This building has seven floors.

Este edificio tiene siete plantas.

The baby likes crawling on the floor.

Al bebé le gusta gatear por el suelo.

F f

flour **harina**

Dough is made with flour.

La masa se hace con harina.

flower **flor**

I like those flowers.

Me gustan esas flores.

bouquet of flowers **ramo de flores**

They bought her a bouquet of flowers.

Le compraron un ramo de flores.

flu **gripe**

He has the flu and can't go to work.

Tiene la gripe y no puede ir a trabajar.

fly **mosca / volar**

I can't stand flies.

Odio las moscas.

Penguins can't fly.

Los pingüinos no vuelan.

follow **seguir**

Follow me. I'll show you the way.

Sígueme. Te mostraré el camino.

food **comida**

I've never had Indian food.

Nunca he probado la comida india.

fool **engañar**

Carol is not so easily fooled.

A Carol no se la engaña tan fácilmente.

foot **pie**

He kicked the ball with his right foot.

Golpeó la pelota con el pie derecho.

go on foot **ir a pie**

Myriam went to school on foot.

Myriam iba al colegio a pie.

forehead **frente**

The ball hit him on the forehead.

El balón le dio en la frente.

foreigner **extranjero, a**

He feels like a foreigner in his own country.

Se siente como un extranjero en su propio país.

forest **bosque**

That forest is very dense.

Ese bosque es muy frondoso.

forget **olvidar(se)**

Don't forget to put the milk back in the refrigerator.

No te olvides de volver a meter la leche en la nevera.

F
f

fork **tenedor**

Waiter, could you bring me another fork, please?

Camarero, ¿podría traerme otro tenedor, por favor?

fresh **fresco, a**

The fish was so fresh!

El pescado estaba muy fresco.

fried **frito, a**

I like fried eggs.

Me gustan los huevos fritos.

friend **amigo, a**

He's my best friend.

Es mi mejor amigo.

friendship **amistad**

We have a long and deep friendship.

Tenemos una larga y profunda amistad.

(in) front (of) **delante, enfrente de**

There's a suspicious car in front of my house.

Hay un coche sospechoso delante de mi casa.

frozen **congelado, a**

They buy frozen food.

Compran comida congelada.

fruit **fruta**

The only fruit I don't like is watermelon.

La única fruta que no me gusta es la sandía.

fruit store **frutería**

I'm going to the fruit store to buy some bananas.

Voy a la frutería a comprar plátanos.

full **lleno, a**

The movie theater was full of people.

El cine estaba lleno de gente.

funny **divertido, a**

That clown is very funny.

Ese payaso es muy divertido.

furniture **mueble**

We bought new furniture for our house.

Compramos muebles nuevos para nuestra casa.

G

gain weight **engordar**

I always gain weight during the holidays.

Siempre engordo en las vacaciones.

garbage **basura**

It's your turn to take out the garbage.

Te toca a ti sacar la basura.

garbage can **cubo de la basura**

She threw the wrapper into the garbage can.

Tiró el envoltorio en el cubo de la basura.

garden **jardín**

I'm growing tomatoes and carrots in my garden.

Cultivo tomates y zanahorias en el jardín.

gas **gas**

I have a gas stove.

Mi cocina funciona con gas natural.

get angry **enfadarse, enojarse (con)**

Don't get angry with me. Its not my fault.

No te enfades conmigo. No es mi culpa.

get divorced **divorciarse**

Tim's parents got divorced four years ago.

Los padres de Tim se divorciaron hace cuatro años.

get dressed **vestirse**

Hurry and get dressed, we're going to be late.

Date prisa y vístete; vamos a llegar tarde.

get in **entrar**

The door is locked and I can't get in.

La puerta está cerrada con llave y no puedo entrar.

get old **envejecer**

My neighbor is getting old and can't hear very well.

Mi vecino está envejeciendo y no oye bien.

get up **levantarse**

On Saturdays, Laura gets up at 9.

Los sábados Laura se levanta a las 9.

get up early **madrugar**

Don't forget: tomorrow we have to get up early.

No olvides que mañana tenemos que madrugar.

gift **regalo**

Put the gifts under the Christmas tree.

Pon los regalos debajo del árbol de Navidad.

girl **chica, niña**

The Stantons just had a baby girl.

Los Stantons acaban de tener una niña.

girlfriend **novia**

He met his girlfriend at a party last year.

Conoció a su novia en una fiesta el año pasado.

give **dar**

Give me the book.

Dame el libro.

give orders **mandar**

Stop giving orders! This is not the army!

¡Deja de mandar! ¡Esto no es el ejército!

glass **copa, vaso**

Would you like a glass of wine?

¿Quieres una copa de vino?

glasses **gafas**

She fell and broke her glasses.

Se cayó y se le rompieron las gafas.

glove **guante**

A good pair of gloves are essential for skiing.

Es esencial tener un buen par de guantes para esquiar.

glue **pegar**

Joe accidentally glued his fingers together.

Joe se pegó los dedos sin querer.

go **ir(se)**

Judy isn't here. She went to the store.

Judy no está aquí. Ha ido a la tienda.

go away **alejarse (de)**

Go away! I can't stand you.

¡Aléjate de mí! No te soporto.

go down **bajar**

I ran into Jeff as I was going down the stairs.

Me encontré con Jeff mientras bajaba las escaleras.

go into **entrar**

She went into the shop to buy something.

Entró en la tienda a comprar algo.

go out **salir**

When I was young, I used to go out every weekend.

Cuando era joven, salía todos los fines de semana.

go shopping **ir de compras**

Lucy really loves going shopping.

A Lucy le encanta ir de compras.

G g

go through **pasar**

Pennsylvania Avenue goes through Washington D.C.

Pennsylvania Avenue pasa por Washington capital.

go to bed **acostarse**

Turn off the T.V. It's time to go to bed.

Apaga la televisión. Es hora de acostarse.

go up **subir**

It seems like the price of gasoline goes up each month.

Parece que el precio de la gasolina sube todos los meses.

god, goddess **dios, diosa**

Zeus is one of the many Greek gods.

Zeus es uno de los muchos dioses griegos.

gold **oro**

Her ring is made of pure gold.

Su anillo es de oro puro.

good **bueno, a / rico, a**

This is a very good school.

Este colegio es muy bueno.

The dinner was very good.

La cena ha estado muy rica.

government **gobierno**

The Japanese government has decided to participate.

El gobierno japonés ha decidido participar.

grandfather, grandmother **abuelo, a**

My grandfather was a pilot in the Second World War.

Mi abuelo fue piloto en la Segunda Guerra Mundial.

grandson, granddaughter **nieto, a**

Your daughter's son is your grandson.

El hijo de tu hija es tu nieto.

great **¡qué alegría!**

It's great to be back home!

¡Qué alegría estar de vuelta en casa!

grow (up) **crecer**

Sally grew up in Manchester.

Sally creció en Manchester.

guess **adivinar**

Guess what I have in my hand.

Adivina lo que tengo en la mano.

guide **guía**

Some monuments can only be visited with a guide.

Algunos monumentos solo se pueden visitar con un guía.

guilty **culpable**

Mr. Landry was found guilty of fraud.

Al Sr. Landry le declararon culpable de fraude.

gym **gimnasio**

They work out at the gym three times a week.

Van al gimnasio tres veces por semana.

H

hair **cabello, pelo**

That shampoo leaves my hair silky and smooth.

Ese champú me deja el pelo brillante y suave.

hairdresser's salon **peluquería**

There's a hairdresser's salon in my neighborhood.

Hay una peluquería en mi barrio.

hairdryer **secador**

Some hotels have a hairdryer in the bathroom.

Algunos hoteles tienen secador en el baño.

half **medio, a; mitad (de)**

Give me half of that chicken.

Dame la mitad de ese pollo.

ham **jamón**

Spain and Italy are known for their cured hams.

España e Italia son conocidos por sus jamones curados.

handkerchief **pañuelo**

I need a handkerchief.

Necesito un pañuelo.

handsome **guapo, a**

He's a handsome guy with expressive eyes.

Es un tipo guapo con ojos expresivos.

happen **suceder**

What's going to happen now?

¿Qué va a suceder ahora?

happiness **alegría, felicidad**

Smiling is the secret to happiness.

El secreto de la felicidad es sonreír.

happy **contento, a; feliz**

He's very happy to be back for Christmas.

Está muy contento de estar de vuelta por Navidad.

happy birthday **feliz cumpleaños**

Happy birthday, Mom!

¡Feliz cumpleaños, mamá!

very happy **encantado, a (con)**

They're very happy with the results.

Están encantados con los resultados.

hard **difícil / duro, a**

It's hard to find vinyl records nowadays.

Es difícil encontrar discos de vinilo hoy en día.

The tomatoes are still hard.

Los tomates todavía están duros.

hat **sombrero**

That hat goes well with your dress.

Ese sombrero va bien con el vestido.

hate **odiar**

I hate vegetables.

Odio la verdura.

have **tener**

I have two brothers and a sister.

Tengo dos hermanos y una hermana.

have a snack **merendar**

The children usually have a snack in the afternoon.

Los niños suelen merendar por la tarde.

have breakfast **desayunar**

What are you going to have for breakfast?

¿Qué vas a desayunar?

have dinner **cenar**

We had dinner in a fancy restaurant.

Cenamos en un restaurante elegante.

have fun **divertirse**

We had a lot of fun at the party.

Nos divertimos mucho en la fiesta.

H h

have lunch **almorzar**

On Sundays they used to have lunch in a park.

Los domingos almorzaban en un parque.

head **cabeza**

The ball hit Peter in the head.

La pelota le dio a Peter en la cabeza.

heal **curar**

If you put a bandage on that cut, it will heal quicker.

Si te pones una venda en la herida, se curará antes.

health **salud**

It's good to hear you're in good health.

Me alegro de que estés bien de salud.

healthy **sano, a**

It's healthy to eat fruit every day.

Es sano comer fruta a diario.

hear **oír**

I've heard that you're getting married.

He oído que te vas a casar.

heart **corazón**

The heart pumps blood to the whole body.

El corazón envía la sangre a todo el cuerpo.

heating **calefacción**

There's central heating in the building.

En el edificio hay calefacción central.

height **altura**

They flew at a height of 2,000 metres.

Volaron a una altura de 2.000 metros.

help **ayuda, ayudar**

Let's go get help.

Vamos a buscar ayuda.

here **aquí, acá**

There's a cat here.

Hay un gato aquí.

here you are **aquí tiene, tome**

–Can you give me change for a dollar? –Sure. Here you are.

–¿Podría darme cambio de un dólar? –Claro. Aquí tiene.

hide **esconder**

Quick, hide. The teacher is coming!

¡Rápido, escóndete, que viene la profesora!

highway, motorway **autopista**

The speed limit on the highway is 55 mph.

La velocidad límite en la autopista es de 55 millas por hora.

hire **contratar**

The restaurant wants to hire three new waiters.

El restaurante quiere contratar a tres nuevos camareros.

hitchhike **autostop**

We hitchhiked to Rome.

Fuimos a Roma haciendo autostop.

hold **agarrar(se)**

He held me by the arm.

Me agarró del brazo.

homework **deberes**

That teacher doesn't give any homework.

Ese profesor no pone deberes.

hospital **hospital**

The ambulance arrived at the hospital.

La ambulancia llegó al hospital.

hostel **albergue**

This is a very cheap hostel.

Este es un albergue muy barato.

hot **caliente**

Be careful. The soup is hot.

Ten cuidado. La sopa está caliente.

house **casa**

Mary and John bought a house in California.

Mary y John compraron una casa en California.

housing complex **urbanización**

There's a swimming pool in this housing complex.

Esta urbanización tiene piscina.

hug **abrazar(se)**

Give me a hug, please.

Abrázame, por favor.

hungry **(tener) hambre**

I don't eat if I am not hungry.

No como si no tengo hambre.

husband **esposo, marido**

Her husband is Australian.

Su marido es australiano.

I

ice **hielo**

Could you bring me some ice cubes?

¿Podría traerme unos cubitos de hielo?

ice cream **helado**

I love chocolate ice cream.

Me encanta el helado de chocolate.

identical **igual**

These trousers are identical.

Estos pantalones son iguales.

imagine **imaginar**

Imagine that war didn't exist.

Imagina que no hubiera guerras.

important **importante**

His uncle told him something important.

Su tío le dijo algo importante.

in **dentro (de)**

The pencil is in your purse.

El lápiz está dentro de tu bolso.

indicate **indicar**

Evidence indicates that he's not the murderer.

Las pruebas indican que él no es el asesino.

information **información**

Could you tell me where the information office is?

¿Podría decirme dónde está la oficina de información?

innocent **inocente**

He was declared innocent.

Le declararon inocente.

intelligent **inteligente**

She is a very intelligent woman.

Es una mujer muy inteligente.

interesting **interesante**

She was an interesting person.

Era una persona interesante.

interrogate **interrogar**

They interrogated him for 20 hours.

Le interrogaron durante 20 horas.

intersection **cruce**

We met at the intersection.

Nos encontramos en el cruce.

interview **entrevista**

The famous actor granted me an interview.

El famoso actor me concedió una entrevista.

invite **invitar**

Their nephew invited them to a conference.

Su sobrino los invitó a una conferencia.

invoice **factura**

Send me the invoice in fifteen days.

Envíame la factura en quince días.

iron **hierro / planchar**

This gate is made of iron.

Esta verja está hecha de hierro.

She hates ironing in the summer.

Ella odia planchar en verano.

island **isla**

Majorca is a beautiful island.

Mallorca es una isla hermosa.

J

---

jacket **chaqueta**

You have to wear a jacket in this restaurant.

Tienes que llevar chaqueta en este restaurante.

---

jeans **pantalones vaqueros**

I need to buy new jeans.

Necesito comprarme unos pantalones vaqueros nuevos.

---

jersey, sweater **jersey**

That's a beautiful sweater.

Ese jersey es bonito.

---

job **empleo**

I have a great job. I really enjoy it.

Tengo un empleo fantástico. Me encanta.

---

jogging suit, tracksuit **chándal**

He wears a jogging suit around the house.

En casa lleva chándal.

---

joke **chiste**

He's very good at telling jokes.

Es muy bueno contando chistes.

journalist **periodista**

Laura is a journalist for *The Times.*

Laura es periodista en The Times.

jug **jarra**

He poured lemonade into a jug.

Echó limonada en una jarra.

juice **jugo, zumo**

I have orange juice every morning.

Me tomo un zumo de naranja todas las mañanas.

jump the line, queue **colarse**

The lady jumped the queue at the cinema.

La señora se coló en el cine.

K

keep **conservar**

He has kept friends from his childhood.

Conserva amigos de la infancia.

kill **matar**

He killed two birds with one stone.

Mató dos pájaros con una piedra.

kiss **besar, beso**

Give me a kiss goodnight.

Dame un beso de buenas noches.

knee **rodilla**

He hurt his knee playing football.

Se hizo daño en la rodilla jugando al fútbol.

knife **cuchillo**

Put the knife next to the spoon.

Coloca el cuchillo al lado de la cuchara.

know **conocer, saber**

He knows someone who lived in Vienna.

Conoce a alguien que vivió en Viena.

L

---

lamp **lámpara**

He has a lamp in his bedroom.

Tiene una lámpara en el dormitorio.

---

land **aterrizar**

The plane landed at four in the afternoon.

El avión aterrizó a las cuatro de la tarde.

---

landlord, landlady **casero, a**

Our landlord is on vacation.

Nuestro casero está de vacaciones.

---

landscape **paisaje**

New Zealand has beautiful landscapes.

Nueva Zelanda tiene paisajes preciosos.

---

language **idioma, lengua**

She speaks four languages.

Habla cuatro idiomas.

---

large **amplio, a**

The conference took place in a large hall.

La conferencia se celebró en una sala amplia.

last **durar / último, a**

The film lasted two hours.

La película duró dos horas.

He was the last one in the class.

Era el último de la clase.

last name **apellidarse, apellido**

Her last name is Smith.

Se apellida "Smith".

last night **anoche**

They slept in a hotel last night.

Durmieron en un hotel anoche.

late **tarde**

She was late and missed the train.

Llegó tarde y perdió el tren.

(be) late **retrasarse**

The boat was late.

El barco se retrasó.

later **luego**

I got to the meeting at 11 and Jane came later.

Llegué a la reunión a las 11 y Jane llegó luego.

laugh **reírse (de), risa**

She has a contagious laugh.

Tiene una risa contagiosa.

L

laundry, launderette **lavandería**

They had to go to the laundry every two weeks.

Tenían que ir a la lavandería cada dos semanas.

law **Derecho**

He studied law in Harvard.

Estudió Derecho en Harvard.

leaf **hoja**

These leaves turn red in the fall.

Estas hojas se vuelven rojas en otoño.

learn **aprender**

They're learning Chinese.

Están aprendiendo chino.

leave **abandonar, dejar**

He left home when he was 16 years old.

Abandonó su casa cuando tenía 16 años.

left **izquierdo, a**

He lifted his left leg.

Levantó la pierna izquierda.

on the left **a la izquierda**

There's a sign on the left.

Hay una señal a la izquierda.

leg **pierna**

She has broken her leg.

Se ha roto la pierna.

lend **dejar, prestar**

Can you lend me a pencil?

¿Me dejas un lápiz?

less **menos**

There's less smoke than I thought.

Hay menos humo de lo que pensaba.

let **dejar, permitir**

Let me hold the baby.

Permíteme coger al bebé.

letter **carta**

Cathy received a letter from her parents.

Cathy recibió una carta de sus padres.

letterbox, mailbox **buzón**

He checked the letterbox after the postman came.

Miró el buzón después de que pasara el cartero.

lettuce **lechuga**

I like lettuce salad.

Me gusta la ensalada de lechuga.

library **biblioteca**

John likes to study in the library.

A John le gusta estudiar en la biblioteca.

lie **mentira**

That's a lie! I didn't do it.

¡Eso es mentira! Yo no lo he hecho.

life **vida**

I have a very busy life.

Llevo una vida muy ajetreada.

light **luz**

It was already light at six in the morning.

Ya había luz a las seis de la mañana.

light bulb **bombilla**

I need to change the light bulb in that lamp.

Necesito cambiar la bombilla de esa lámpara.

lighter **encendedor**

I need a lighter to light the candles.

Necesito un encendedor para encender las velas.

like **gustar**

He likes going to the mountains.

Le gusta ir a la montaña.

line **cola**

There was a long line to get into the stadium.

Había una cola larga para entrar en el estadio.

wait in line **hacer cola**

He waited in line for hours.

Hizo cola durante horas.

lip **labio**

You have some chocolate on your lip.

Tienes chocolate en el labio.

listen **escuchar**

Listen to me for a moment.

Escúchame un momento.

little **chico, a, pequeño, a**

They have a little house in the country.

Tienen una casa pequeña en el campo.

live **vivir**

Daniel lived in Luxembourg for three years.

Daniel vivió en Luxemburgo tres años.

long **largo, a**

That dog has a long tail.

Ese perro tiene una cola larga.

look **mirar / parecer**

Don't look at me that way, please.

Por favor, no me mires así.

She looked very happy.

Parecía muy feliz.

look for **buscar**

They're looking for a new house.

Están buscando una nueva casa.

look like **parecerse**

She look likes her aunt.

Se parece a su tía.

lose **perder**

The team lost in the last minute of the game.

El equipo perdió en el último minuto del partido.

lose weight **adelgazar**

He lost five kilos in two months.

Adelgazó cinco kilos en dos meses.

(a) lot **mucho, a**

There are a lot of handsome men at this party.

Hay muchos hombres guapos en esta fiesta.

love **amar, encantar**

They love playing basketball.

Les encanta jugar al baloncesto.

loving **cariñoso, a**

He's a very loving kid.

Es un niño muy cariñoso.

low **bajo, a**

That ceiling is very low.

Ese techo es muy bajo.

luck, lucky **suerte**

He's lucky to be alive.

Tiene suerte de estar vivo.

have good / bad luck **tener buena / mala suerte**

I had good luck in the lottery.

Tuve buena suerte en la lotería.

lunch **almuerzo, comida**

Lunch was delicious. Thank you.

La comida estaba deliciosa. Gracias.

luxury **lujo**

Mark lives in luxury.

Mark vive con lujo.

M

(be) mad (at) **enfadado, a**

He's mad at his girlfriend.

Está enfadado con su novia.

magazine **revista**

She likes reading magazines in the hairdresser's salon.

Le gusta leer revistas en la peluquería.

mail **correo**

He received a parcel by mail.

Recibió un paquete por correo.

mailman, postman **cartero, a**

The postman came at noon.

El cartero vino a mediodía.

make **preparar / obligar (a)**

Mary made a great dinner.

Mary preparó una cena fantástica.

They made him go to the dentist.

Le obligaron a ir al dentista.

make a mistake **equivocarse**

He made the mistake of going to the party.

Se equivocó al ir a la fiesta.

make progress **avanzar**

He's making progress with the rehabilitation.

Está avanzando con la rehabilitación.

man **hombre**

That man is a scientist.

Ese hombre es científico.

(not) many **poco, a**

There weren't many children at the birthday party.

Hubo pocos niños en la fiesta de cumpleaños.

map **plano**

We need a map of the city.

Necesitamos un plano de la ciudad.

mark **marcar**

He marked all the books with his initials.

Marcó todos los libros con sus iniciales.

market **mercado**

The "Boquería" is a well-known market in Barcelona.

La Boquería es un mercado conocido de Barcelona.

married (to) **casado (con)**

She's married to an Australian.

Está casada con un australiano.

marry **casarse (con)**

They got married in 1969.

Se casaron en 1969.

mattress **colchón**

They bought a new mattress for the bed.

Compraron un colchón nuevo para la cama.

maybe **quizá(s), tal vez**

Maybe I'll go to the swimming pool tomorrow.

Quizá vaya mañana a la piscina.

meat **carne**

They love meat from Argentina.

Les encanta la carne argentina.

meet **quedar (con)**

Peter is meeting his best friend this afternoon.

Peter ha quedado con su mejor amigo esta tarde.

member **miembro**

Helen is a member of the club.

Helen es miembro del club.

milk **leche**

They drank all the milk.

Se bebieron toda la leche.

minute **minuto**

I need five more minutes.

Necesito cinco minutos más.

mirror **espejo**

Look at yourself in the mirror. You look great!

Mírate al espejo. ¡Estás muy bien!

miss **echar de menos / perder**

I really miss you.

Te echo mucho de menos.

He missed his flight.

Perdió su vuelo.

mistake **equivocación, error**

Her greatest mistake was to marry him.

Su mayor equivocación fue casarse con él.

modern **moderno, a**

This is a modern neighborhood.

Este es un barrio moderno.

moment **momento**

I'm going to go to the restroom for a moment.

Voy a ir al servicio un momento.

money **dinero, plata**

We don't have enough money to buy that car.

No tenemos suficiente dinero para comprar ese coche.

M m

month **mes**

I saw you last month.

Te vi el mes pasado.

moon **luna**

The moon revolves around the earth.

La luna gira alrededor de la Tierra.

more **más**

Can you give me more milk?

¿Puedes darme más leche?

(in the) morning **por la mañana**

He gets up early in the morning.

Se levanta temprano por la mañana.

mosque **mezquita**

That mosque has a blue dome.

Esa mezquita tiene una cúpula azul.

mother **madre**

Her mother is studying computer science.

Su madre está estudiando informática.

motorcycle **moto**

They offered him a motorcycle for his birthday.

Le regalaron una moto por su cumpleaños.

mountain **montaña**

The mountains were covered with snow.

Las montañas estaban cubiertas de nieve.

mouth **boca**

Close your eyes and open your mouth.

Cierra los ojos y abre la boca.

move **mudarse**

They moved to a new neighborhood.

Se mudaron a un nuevo barrio.

movie guide **cartelera**

What's at the movie guide this weekend?

¿Qué hay en la cartelera este fin de semana?

museum **museo**

The Louvre is a famous museum.

El Louvre es un museo famoso.

music **música**

They play good music on that radio station.

Ponen buena música en esa emisora de radio.

mustache **bigote**

He grew a mustache when he was 50 years old.

Se dejó crecer el bigote cuando tenía 50 años.

mute **mudo, a**

She went mute when her father died.

Se quedó muda cuando murió su padre.

N

naked **desnudo, a**

He swam naked in the sea.

Se bañó desnudo en el mar.

---

name **llamarse, nombre**

Write your name on this form.

Escriba su nombre en este formulario.

---

nap **siesta**

It's time to take a nap.

Es la hora de echarse una siesta.

have a nap **echarse la siesta**

They like having a 30-minute nap.

Les gusta echarse una siesta de 30 minutos.

---

napkin **servilleta**

He forgot to put the napkins on the table.

Se le olvidó poner las servilletas en la mesa.

---

narrow **estrecho, a**

This path is narrow and short.

Este camino es estrecho y corto.

nature **naturaleza**

She is a nature-lover.

Ella es una amante de la naturaleza.

near **cerca (de)**

There's a bus stop near the school.

Hay una parada de autobús cerca del colegio.

need **necesitar**

I need to buy something to eat.

Necesito comprar algo de comer.

needle **aguja**

The needle fell on the floor and she couldn't find it.

Se le cayó la aguja al suelo y no podía encontrarla.

neighbor **vecino, a**

Our neighbors moved to New York.

Nuestros vecinos se mudaron a Nueva York.

neighborhood **barrio**

That neighborhood is very lively.

Ese barrio es muy animado.

nephew, niece **sobrino, a**

Their nephew was born two weeks ago.

Su sobrino nació hace dos semanas.

nervous **nervioso, a**

He was nervous when he took the exam.

Estaba nervioso cuando hizo el examen.

never **nunca**

I've never lied to my parents.

Nunca he mentido a mis padres.

new **nuevo, a**

Susan sold her new camera.

Susan vendió su nueva cámara.

news **noticia**

I have good news for you: you've passed the exam.

Tengo buenas noticias para ti. Has aprobado el examen.

newspaper **periódico**

They buy the newspaper on Sundays.

Compran el periódico los domingos.

newsstand **quiosco**

There's a newsstand at the corner.

Hay un quiosco en la esquina.

next **próximo, a; siguiente**

They're getting married next spring.

Se van a casar la próxima primavera.

nice **simpático, a**

She's a very nice lady.

Es una señora muy simpática.

night **noche**

I went to the cinema that night.

Fui al cine aquella noche.

at night **de noche**

It was ten o'clock at night.

Eran las diez de la noche.

no one **nadie**

No one wrote us to apologize.

Nadie nos escribió para disculparse.

noise **ruido**

Did you hear that noise?

¿Has escuchado ese ruido?

normal **normal**

Her reaction was normal.

Su reacción fue normal.

note **billete**

He paid with a two pound note.

Pagó con un billete de dos libras.

notebook **cuaderno**

You need to buy a notebook for this class.

Necesitáis comprar un cuaderno para esta clase.

nothing **nada**

I have nothing to lose.

No tengo nada que perder.

now **ahora**

Come here right now.

Ven aquí ahora mismo.

number **número**

Her phone number is 456-34-56.

Su número de teléfono es el 456-34-56.

O

obey **obedecer**

He always obeyed his parents.

Siempre obedecía a sus padres.

---

object **objeto**

That was a strange object.

Era un objeto extraño.

---

offer **ofrecer**

They offered to go with her to the hospital.

Se ofrecieron a ir con ella al hospital.

---

office **despacho**

He spent many hours in his office.

Se pasaba muchas horas en su despacho.

---

often **(con) frecuencia**

She often writes her aunt.

Ella escribe a su tía con frecuencia.

---

oil **aceite**

I love Spanish virgin olive oil.

Me gusta el aceite de oliva virgen español.

O.K. **vale**

–Would you like some ice cream? –O.K.

–¿Quieres un helado? –Vale.

old **antiguo, a; viejo, a / edad**

It's an old house.

Es una casa antigua.

How old is your nephew?

¿Qué edad tiene tu sobrino?

omelette **tortilla**

He makes a delicious ham omelette.

Él hace unas deliciosas tortillas de jamón.

on **encima (de), sobre**

The book is on the table.

El libro está sobre la mesa.

only **solo; único, a**

I'll only do it one more time.

Sólo lo haré una vez más.

open **abierto, a; abrir**

The door is open.

La puerta está abierta.

opening hours **horario**

The museum's opening hours are from 9 to 2.

El horario del museo es de 9 a 2.

opposite **contrario, a**

What is the opposite of "cold"?

¿Qué es lo contrario de "frío"?

orange **naranja**

Valencia is known for its oranges.

Valencia es conocida por sus naranjas.

She was wearing an orange sweater.

Llevaba un jersey naranja.

order **ordenar**

She ordered me to leave the room immediately.

Me ordenó que saliera inmediatamente de la habitación.

organise, organize **organizar**

They organized a surprise party.

Organizaron una fiesta sorpresa.

outside **exterior, fuera (de)**

He painted the outside of the house.

Pintó el exterior de la casa.

oven **horno**

Put the pizza in the oven.

Mete la pizza en el horno.

owner **dueño, a**

He's the owner of that dog.

Él es el dueño de ese perro.

P

package, parcel **paquete**

I've just received this package from Mexico.

Acabo de recibir este paquete de México.

pain **dolor**

I can't stand this pain.

No aguanto este dolor.

painting **cuadro, pintura**

That painting is very beautiful.

Ese cuadro es muy bonito.

panties **bragas**

I need to buy some panties.

Necesito comprarme unas bragas.

pants, trousers **pantalón**

Those trousers are very old.

Esos pantalones son muy viejos.

paper **papel**

Take a piece of paper and write your name.

Coge un papel y escribe tu nombre.

park **aparcar, estacionar / parque**

It's difficult to find a place to park here.

Es difícil encontrar un lugar para aparcar aquí.

There's a park next to my workplace.

Hay un parque al lado de mi trabajo.

part **parte**

Divide it into two parts.

Divídelo en dos partes.

party **fiesta**

The party went on until five in the morning.

La fiesta duró hasta las cinco de la mañana.

pass **adelantar / aprobar**

The red car passed the lorry.

El coche rojo adelantó al camión.

Mary passed all her exams.

Mary aprobó todos los exámenes.

patience **paciencia**

You need a lot of patience to be a teacher.

Necesitas mucha paciencia para ser profesor.

pavement, sidewalk **acera, vereda**

He was walking on the sidewalk.

Él caminaba por la acera.

pay **pagar**

He paid 100 euros for that CD collection.

Pagó 100 euros por esa colección de CDs.

pay attention **fijarse (en), prestar atención**

Pay attention to what the teacher says.

Presta atención a lo que dice el profesor.

pea **guisante**

I like peas with ham.

Me gustan los guisantes con jamón.

peace **paz**

The dove is a symbol of peace.

La paloma es un símbolo de la paz.

pedestrian **peatón**

A crosswalk is for pedestrians.

El paso de cebra es para los peatones.

pen **bolígrafo**

Use a pen to do this exercise.

Utilizad un bolígrafo para hacer este ejercicio.

pencil **lápiz**

Make the corrections with a pencil.

Haz las correcciones a lápiz.

people **gente**

Most people agree with her.

La mayoría de la gente está de acuerdo con ella.

perfect **perfecto, a**

This is a perfect day.

Este es un día perfecto.

perform **actuar**

She performed in a play.

Actuó en una obra de teatro.

performance **actuación**

The performance was excellent.

La actuación fue magnífica.

person **persona**

She is a nice person, but rather eccentric.

Es una persona simpática, pero algo excéntrica.

photo **fotografía**

I saw a photo of the suspect in the newspaper.

Vi una fotografía del sospechoso en el periódico.

photocopy **fotocopiar**

I'm going to photocopy some pages of this book.

Voy a fotocopiar algunas páginas de este libro.

photographer **fotógrafo, a**

The photographer took pictures of the wedding.

El fotógrafo sacó fotos de la boda.

picture **dibujo, fotografía**

This book has many pictures.

Este libro tiene muchos dibujos.

piece of information **dato**

That's an interesting piece of information.

Ese es un dato interesante.

pillow **almohada**

He always travels with his pillow.

Siempre viaja con su almohada.

pitcher **jarra**

The waitress brought two pitchers of water.

La camarera trajo dos jarras de agua.

place **lugar, sitio**

I know a place where you can find what you're looking for.

Conozco un lugar donde puedes encontrar lo que buscas.

plant **planta**

They have a lot of plants on their balcony.

Tienen muchas plantas en el balcón.

platform **andén**

The train leaves from platform 3.

El tren sale del andén 3.

play **obra (de teatro) / jugar / tocar**

Shakespeare wrote many plays and poems.

Shakespeare escribió muchas obras de teatro y poemas.

Kids like playing with a ball.

A los niños les gusta jugar con la pelota.

I have been playing the guitar since I was 10 years old.

Toco la guitarra desde que tenía 10 años.

player **jugador, a**

He's a rugby player.

Es un jugador de rugby.

plug, socket **enchufe**

Get the child away from the socket.

Aleja al niño del enchufe.

plumber **fontanero, a**

We called a plumber last week.

Llamamos a un fontanero la semana pasada.

pocket **bolsillo**

He has chewing gum in his pocket.

Tiene un chicle en el bolsillo.

poor **pobre**

She's poor and lonely.

Ella es pobre y solitaria.

positive **positivo, a**

He's a positive and happy person.

Él es una persona positiva y alegre.

possible **posible**

That theory may be possible.

Esa teoría puede ser posible.

postcard **postal**

Send me a postcard when you go on vacation.

Envíame una postal cuando te vayas de vacaciones.

potato **papa, patata**

They like mashed potatoes.

Les gusta el puré de patatas.

pottery **cerámica**

Pottery is one of her hobbies.

La cerámica es una de sus aficiones.

prayer **oración**

Prayer is powerful.

La oración tiene mucho poder.

prefer **preferir**

I prefer playing cards to talking.

Prefiero jugar a las cartas a hablar.

pregnant **embarazada**

The two got pregnant at the same time.

Las dos se quedaron embarazadas al mismo tiempo.

preserve **conservar**

It's better to preserve the food in a cool place.

Es mejor conservar los alimentos en un lugar fresco.

price **precio**

The price is on the label.

El precio está en la etiqueta.

prison **cárcel**

There's a prison near the city.

Hay una cárcel cerca de la ciudad.

problem **problema**

She has a weight problem.

Tiene un problema de peso.

program **programa**

This year they've changed the television programs.

Este año han cambiado los programas de televisión.

pronounce **pronunciar**

You need to pronounce all the letters.

Necesitas pronunciar todas las letras.

purse **bolso**

Someone has stolen the wallet from her purse.

Alguien le ha robado la cartera del bolso.

put **meter / poner**

Put the cake in the oven.

Mete la tarta en el horno.

She put ham on the sandwich.

Puso jamón en el bocadillo.

Q

question **pregunta**

She always asked many questions.

Siempre hacía muchas preguntas.

queue **cola, hacer cola**

There was a short queue at the supermarket.

No había mucha cola en el supermercado.

quickly **deprisa**

Derek writes very quickly.

Derek escribe muy deprisa.

quite a few **bastante**

There are quite a few people in the conference room.

Hay bastantes personas en la sala de conferencias.

R

race **carrera**

He likes horse races.

Le gustan las carreras de caballos.

rain **llover, lluvia**

It rained all day.

Llovió todo el día.

raw **crudo, a**

She likes raw carrots.

Le gustan las zanahorias crudas.

read **leer**

He read that book in three days.

Leyó ese libro en tres días.

really **de verdad**

I really don't know why he left.

De verdad, no sé por qué se ha marchado.

receive **recibir**

He received many gifts for his birthday.

Recibió muchos regalos por su cumpleaños.

receive patients **pasar consulta**

When does she receive patients?

¿Cuándo pasa consulta?

---

record **grabar**

He's recorded a new album.

Ha grabado un nuevo album.

---

red-haired **pelirrojo, a**

There's only one red-haired person in class.

Solo hay una persona pelirroja en clase.

---

refrigerator **frigorífico, heladera, nevera**

I keep the milk in the refrigerator.

Guardo la leche en el frigorífico.

---

relationship **relación**

He has a good relationship with his family.

Él tiene una buena relación con su familia.

---

remember **acordarse (de), recordar**

I remember when I was little.

Me acuerdo de cuando era pequeña.

---

rent **alquilar, alquiler**

It's getting more and more difficult to pay the rent.

Cada vez resulta más difícil pagar el alquiler.

repeat **repetir**

Repeat this sentence with me.

Repetid esta frase conmigo.

rest **descansar**

I need to rest before we continue climbing.

Necesito descansar antes de continuar escalando.

restroom, toilets **aseo, servicio**

–Where are the toilets? –Over there.

–¿Dónde están los aseos? –Allí.

retire **jubilarse**

He retired at the age of 70.

Se jubiló a los 70 años.

rich **rico, a**

Winning the lottery made her rich.

Se hizo rica cuando ganó a la lotería.

right **derecho, a**

Raise your right arm.

Levanta el brazo derecho.

on the right **a la derecha**

Turn right at the traffic lights.

Gire a la derecha en el semáforo.

right away **enseguida**

He brought the bill right away.

Trajo la cuenta enseguida.

ring **anillo / sonar**

She has a silver ring.

Tiene un anillo de plata.

The bell rang at noon.

La campana sonó a mediodía.

road **calzada, camino, carretera**

That road goes through the city.

Esa carretera atraviesa la ciudad.

roasted **asado, a**

I love roasted chicken.

Me encanta el pollo asado.

rob **robar**

They've robbed four banks this month.

Han robado cuatro bancos este mes.

rope **cuerda**

We need some rope.

Necesitamos una cuerda.

rotten **podrido, a**

Something smells rotten here.

Huele a podrido aquí.

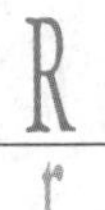

roundabout **glorieta**

There are many roundabouts in this street.

Hay muchas glorietas en esta calle.

row **fila**

There were 20 rows of seats in the cinema.

Había 20 filas de butacas en el cine.

rubber **borrador**

There are three pens and two rubbers on the desk.

Hay tres bolígrafos y dos borradores en la mesa.

rubbish **basura**

He has the habit of throwing rubbish on the floor.

Tiene la costumbre de tirar la basura al suelo.

rule **regla**

If you want to work here, you have to follow the rules.

Tienes que seguir las reglas para trabajar aquí.

ruler **regla**

I need a ruler for my math class.

Necesito una regla para mi clase de matemáticas.

run **correr**

He missed the bus and had to run to get to school.

Perdió el autobús y tuvo que correr para llegar al colegio.

run over **atropellar**

The girl was run over by a bus.
A la niña la atropelló un autobús.

S

sad **triste**

This film is very sad.

Esta película es muy triste.

safe **seguro, a**

The stairs are not very safe.

Las escaleras no son muy seguras.

salary **sueldo**

Jim is not very happy with his salary.

Jim no está muy contento con su salario.

salt **sal**

Add some salt and pepper.

Añade un poco de sal y pimienta.

salty **salado, a**

This soup is too salty.

Esta sopa está demasiado salada.

same **mismo, a**

He's wearing the same pants as my father.

Lleva los mismos pantalones que mi padre.

sandwich **bocadillo**

I'm going to make a ham sandwich.

Me voy a hacer un bocadillo de jamón.

sauce **salsa**

This sauce is a bit spicy.

Esta salsa está un poco picante.

save **ahorrar**

He saved money to buy a motorcycle.

Ahorró dinero para comprarse una moto.

say **decir**

He said he had to go to the bank.

Dijo que tenía que ir al banco.

school **colegio, escuela**

A new school has just opened.

Acaban de abrir un nuevo colegio.

scissors **tijeras**

He bought a pair of scissors.

Compró un par de tijeras.

scream **grito**

She heard a scream of terror.

Oyó un grito de terror.

sculpture **escultura**

There's a beautiful sculpture of Venus on the lawn.

Hay una hermosa escultura de Venus en el jardín.

sea **mar**

Tourists are attracted by the views of the sea.

A los turistas los atraen las vistas del mar.

seafood **marisco**

We made a seafood paella.

Hicimos una paella de marisco.

season **estación**

Spring is my favourite season.

La primavera es mi estación favorita.

see **ver**

I can't see the park from here.

No veo el parque desde aquí.

send **enviar**

Could you send this postcard for me?

¿Podrías hacerme el favor de enviarme esta postal?

sentence **frase, oración**

He couldn't finish the sentence.

Él no pudo terminar la frase.

separate **separarse (de)**

They separated after twenty years of marriage.

Se separaron después de llevar veinte años casados.

serious **serio, a**

He's very serious about his work.

Es muy serio con el trabajo.

sew **coser**

She learned how to sew at school.

Aprendió a coser en el colegio.

shade **sombra**

I prefer staying in the shade. It's too hot.

Prefiero quedarme en la sombra. Hace demasiado calor.

shave **afeitarse**

He shaves every two days.

Se afeita cada dos días.

shaving cream **espuma de afeitar**

He uses a special shaving cream for his skin.

Utiliza una espuma de afeitar especial para su piel.

sheet **hoja / sábana**

Can you give me a blank sheet of paper?

¿Me puedes dar una hoja en blanco?

They change the sheets once a week.

Cambian las sábanas una vez a la semana.

shelf **estantería**

There are three shelves in the cupboard.

Hay tres estanterías en el armario.

shirt **camisa**

Susan has to wear a white shirt for work.

Susan tiene que llevar una camisa blanca al trabajo.

shoe **zapato**

Have you seen my shoes?

¿Has visto mis zapatos?

high-heeled / flat shoes **zapatos de / sin tacón**

She never wears high-heeled shoes because of her back.

Nunca lleva zapatos de tacón alto por la espalda.

shop window **escaparate**

They like looking at shop windows at Christmas.

Les gusta mirar los escaparates en Navidad.

short **bajo, a / corto, a**

He was a short but strong man.

Era un hombre bajo pero fuerte.

Take the shortest route.

Toma el camino más corto.

should **deber**

You should do your homework.

Debes hacer los deberes.

shoulder **hombro**

Swimmers have big shoulders.

Los nadadores tienen los hombros anchos.

shout **gritar**

The injured started shouting for help.

El herido empezó a gritar pidiendo ayuda.

show **enseñar**

Let me show you something.

Mira, te voy a enseñar algo.

shower **ducha, ducharse**

The shower was dripping all night.

La ducha estuvo goteando toda la noche.

shut up **callar**

Shut up and listen to me for once!

¡Calla y escúchame por una vez!

sick **enfermo, a**

She's sick. She has the flu.

Está enferma. Tiene gripe.

sign **firmar / señal (de tráfico)**

They signed the contract in the morning.

Firmaron el contrato por la mañana.

The sign says what the speed limit is.

La señal dice cuál es el límite de velocidad.

sign up for **apuntarse (a)**

I've signed up for the rugby team.

Me he apuntado al equipo de rugby.

silence **silencio**

There was a long silence before he answered.

Hubo un largo silencio antes de que respondiera.

silver **plata**

Silver is very cheap in Mexico.

La plata es muy barata en México.

sing **cantar**

She sang a beautiful song.

Cantó una bonita canción.

singer **cantante**

He's a pop singer.

Es cantante de pop.

single **soltero, a**

She has a single brother and a married sister.

Ella tiene un hermano soltero y una hermana casada.

sink **fregadero**

Paul did the dishes in the sink.

Paul lavó los platos en el fregadero.

sister **hermana**

He has two sisters and three brothers.

Él tiene dos hermanas y tres hermanos.

sister-in-law **cuñada**

My sister-in-law is a lawyer.

Mi cuñada es abogada.

sit **sentarse**

Peter, sit down right now!

Peter, siéntate ahora mismo.

situation **situación**

The situation is under control. Don't worry.

La situación está bajo control. No se preocupen.

skirt **falda**

There girls have to wear skirts.

Esas niñas tienen que llevar falda.

sky **cielo**

The sky was clear and blue.

El cielo estaba claro y azul.

sleep **dormir**

Their son sleeps more than nine hours a day.

Su hijo duerme más de nueve horas al día.

sleeve **manga**

He spilled wine on his sleeve.

Derramó vino en la manga.

slipper **zapatilla**

She always wears slippers at home.

Siempre lleva zapatillas en casa.

slowly **despacio**

The teacher speaks very slowly.

El profesor habla muy despacio.

small **chico, a; pequeño, a**

This T-shirt is too small for me now.

Esta camiseta se me ha quedado pequeña.

smell **oler, olor**

There was a pleasant smell coming out of the kitchen.

De la cocina salía un olor agradable.

smoke **fumar**

Smoking is not allowed here.

No se permite fumar aquí.

smoker **fumador, a**

He's a chain smoker. He smokes two packs a day.

Es un fumador empedernido. Fuma dos cajetillas al día.

sneeze **estornudar**

Pollen makes me sneeze.

El polen me hace estornudar.

snow **nevar, nieve**

There is a lot of snow in the mountains.

Hay mucha nieve en las montañas.

so **entonces**

–So, what are you doing tonight? –I don't know.

–Entonces, ¿qué vas a hacer esta noche? –No sé.

soap **jabón**

I'm going to wash your hands out with soap.

Te voy a lavar las manos con jabón.

soft **blando, a; suave**

These towels are soft and clean.

Estas toallas están suaves y limpias.

solution **solución**

We need to think of a solution.

Necesitamos pensar en una solución.

someone **alguien**

Someone has stolen my car.

Alguien me ha robado el coche.

sometimes **a veces**

I sometimes feel sad.

A veces me siento triste.

son **hijo**

Their son is going to go to college next year.

Su hijo va a ir a la universidad el año que viene.

song **canción**

I wrote a song about peace.

Escribí una canción sobre la paz.

(be) sorry **disculparse, sentir**

I'm sorry I hurt you.

Siento haberte herido.

soup **sopa**

I've always hated soup.

Siempre he odiado la sopa.

speak **hablar**

Mike doesn't speak to me anymore.

Mike ya no me habla.

spell **deletrear**

Can you spell your last name?

¿Puedes deletrear tu apellido?

spend **gastar**

She spent all her savings on Christmas gifts.

Se gastó todos sus ahorros en regalos de Navidad.

sponge **esponja**

He doesn't use a sponge when he takes a shower.

Él no utiliza esponja cuando se ducha.

spoon **cuchara**

Use this spoon to eat your soup.

Utiliza esta cuchara para comerte la sopa.

sportsman **deportista**

He's a sportsman and trains six hours a day.

Es deportista y entrena seis horas diarias.

square **plaza**

They lived on a beautiful square in Madrid.

Vivieron en una hermosa plaza de Madrid.

stage **escenario**

Catherine left the stage crying.

Catherine se marchó del escenario llorando.

stain **mancha**

You have a stain on your pants.

Tienes una mancha en los pantalones.

stair **escalera**

Her grandmother fell down the stairs.

Su abuela se cayó por las escaleras.

stamp **sello**

Mary put a stamp on the envelope and sent the letter.

Mary le puso un sello al sobre y envió la carta.

stand up **ponerse de pie**

They all stood up when the king entered the room.

Todos se pusieron de pie cuando el rey entró en la sala.

star **estrella**

She's a pop star.

Es una estrella de música pop.

start **comenzar, empezar**

Winter has already started.

Ya ha comenzado el invierno.

station **estación**

I live near the railway station.

Vivo cerca de la estación de ferrocarril.

stay **quedarse**

They stayed three more days in London.

Se quedaron tres días más en Londres.

steak **filete**

He prepared a thick and juicy steak.

Preparó un filete gordo y jugoso.

step **escalón / paso**

That tower has 200 steps.

Esa torre tiene 200 escalones.

I heard footsteps outside.

Oí pasos fuera.

stomach **estómago**

It was so spicy that I had a stomachache afterwards.

Estaba tan picante que luego me dolió el estómago.

stop **pararse**

The bus stopped in the city center.

El autobús se paró en el centro de la ciudad.

story **cuento**

His grandmother always told him stories.

Su abuela siempre le contaba cuentos.

straight **liso, a**

She likes straight hair.

Le gusta el pelo liso.

strange **extraño, a; raro, a**

There was a strange atmosphere at the party.

Había un ambiente raro en la fiesta.

street **calle**

He lives in a very busy street.

Vive en una calle muy concurrida.

streetlight **farola**

The streetlights lit the avenue.

Las farolas iluminan la avenida.

strong **fuerte**

She's a very strong woman.

Es una mujer muy fuerte.

student **alumno, a; estudiante**

The students went to see a play.

Los alumnos fueron a ver una obra de teatro.

study **estudiar**

He studied an average of five hours a day.

Él estudiaba una media de cinco horas al día.

subject **asignatura**

I have ten subjects this year.

Tengo diez asignaturas este año.

suburbs **afueras**

It's less expensive to live in the suburbs of the city.

Es menos caro vivir en las afueras de la ciudad.

suddenly **de pronto**

She suddenly got up and ran to the door.

De pronto se levantó y fue corriendo a la puerta.

sugar **azúcar**

Tom puts a lot of sugar in his coffee.

Tom echa mucho azúcar en el café.

suitcase **maleta, valija**

They opened my suitcase in customs.

Me abrieron la maleta en la aduana.

sun **sol**

Now the sun comes up at six in the morning.

Ahora el sol sale a las seis de la mañana.

surgeon **cirujano, a**

The surgeon performs operations on Tuesdays.

El cirujano opera los martes.

surprise **sorpresa**

I wasn't expecting you. What a surprise!

No te esperaba. ¡Qué sorpresa!

surprising **sorprendente**

That's a surprising film.

Esa es una película sorprendente.

sweat **sudar**

By the end of the match he was sweating.

Al final del partido estaba sudando.

sweep **barrer**

She prefers sweeping to ironing.

Prefiere barrer a planchar.

sweet **caramelo / dulce**

I prefer sugar-free sweets.

Prefiero los caramelos sin azúcar.

She has a very sweet look.

Tiene una mirada muy dulce.

swim **nadar**

She likes swimming in the sea.

A ella le gusta nadar en el mar.

swimming pool **piscina**

I prefer to go to a heated swimming pool.

Prefiero ir a una piscina climatizada.

synagogue **sinagoga**

On Saturdays they meet in the synagogue.

Los sábados se reúnen en la sinagoga.

T

---

table **mesa**

She cut the tomatoes on the kitchen table.

Cortó los tomates en la mesa de la cocina.

---

tablecloth **mantel**

They used a special tablecloth for the occasion.

Pusieron un mantel especial para la ocasión.

---

tail **cola**

My dog wags his tail when he sees me.

Mi perro mueve la cola cuando me ve.

---

take **coger, tomar / llevar / tardar**

They took the bus to Segovia.

Tomaron el autobús para ir a Segovia.

Can you take that tray to the table?

¿Puedes llevar esa bandeja a la mesa?

It took him four hours to get to London.

Tardó cuatro horas en llegar a Londres.

---

take a bath **bañarse**

She took a bath at home.

Se bañó en casa.

take an exam **examinarse**

Jonathan is taking a biology exam tomorrow.

Jonathan va a examinarse de biología mañana.

take care **cuidar (de)**

I'll take care of the plants when you're away.

Cuidaré las plantas cuando estés fuera.

take off **quitar(se)**

He took his T-shirt off after the game.

Se quitó la camiseta después del partido.

take out **sacar**

He took money out of the cash machine.

Sacó dinero del cajero automático.

talk to **conversar (con)**

I talked to Mary last night.

Estuve conversando con Mary anoche.

tall **alto, a**

That's the tallest tree in the area.

Ese es el árbol más alto de la región.

taste **sabor**

This coffee really tastes good!

Este café tiene un sabor muy bueno.

tasteless **soso, a**

Those vegetables are tasteless.

Esas verduras están sosas.

tasty **sabroso, a**

She has made a tasty meal.

Ha preparado una comida sabrosa.

tax **impuesto**

That year she had to pay a lot of taxes.

Ese año tuvo que pagar muchos impuestos.

tea **té**

I'll take a cup of tea, please.

Tomaré una taza de té, por favor.

teach **enseñar**

She teaches Swedish at university.

Ella enseña sueco en la universidad.

teacher **maestro, a; profesor, a**

He was an excellent teacher.

Era un profesor excelente.

team **equipo**

She played in a basketball team.

Ella jugaba en un equipo de baloncesto.

tell **contar**

She's very good at telling stories.

A ella se le da muy bien contar cuentos.

text **texto**

I have to translate a text from English.

Tengo que traducir un texto del inglés.

there **allá, allí**

I see a cat over there.

Veo un gato allí.

thief **ladrón, a**

The thief is our neighbor's son.

El ladrón es el hijo de nuestro vecino.

thin **delgado, a**

She's too thin for her height.

Es demasiado delgada para su altura.

thing **cosa**

They travel with too many things.

Viajan con demasiadas cosas.

think **pensar (en) / creer**

He's thinking of moving.

Está pensando en mudarse.

I don't think I can do it.

No creo que pueda hacerlo.

T t

thirsty **(tener) sed**

Are you thirsty?

¿Tienes sed?

throat **garganta**

Jeff has a sore throat.

Jeff tiene dolor de garganta.

throw away **tirar**

He threw away the tin.

Tiró la lata a la basura.

ticket **billete, entrada**

He bought a bus ticket to Paris.

Compró un billete de autobús a París.

ticket office **taquilla**

We'll have to wait in line at the ticket office.

Tendremos que hacer cola en la taquilla.

time **vez / tiempo**

This is the tenth time I've told you.

Es la décima vez que te lo digo.

Don't waste time.

No pierdas el tiempo.

tin **lata**

They bought ten tins of tuna at the store.

Compraron diez latas de atún en la tienda.

tired **cansado, a**

He was tired after a long day of work.

Estaba cansado después de un largo día de trabajo.

toast (piece of) **tostada**

He has a piece of toast and some coffee in the mornings.

Toma una tostada y un café por las mañanas.

tobacco **tabaco**

He bought tobacco at the newsstand.

Compró tabaco en el quiosco.

today **hoy**

Today is a holiday in Great Britain.

Hoy es un día festivo en Gran Bretaña.

together **junto, a**

Let's go out for dinner together.

Salgamos a cenar juntos.

tomorrow **mañana**

The Fosters have invited us to dinner tomorrow.

Los Foster nos han invitado a cenar mañana.

the day after tomorrow **pasado mañana**

The day after tomorrow is his birthday.

Pasado mañana es su cumpleaños.

T
t

tongue **lengua**

Stick out your tongue so I can see it.

Saca la lengua para que la vea.

tonight **esta noche**

We're going to a concert tonight.

Esta noche vamos a un concierto.

too **además, también**

He likes playing cards too.

También le gusta jugar a las cartas.

too much **demasiado, a**

There was too much money in that account.

Había demasiado dinero en esa cuenta.

toothpick **palillo**

Where are the toothpicks?

¿Dónde están los palillos?

torn **roto, a**

The curtains are torn.

Las cortinas están rotas.

touch **tocar**

The doctor touched his forehead.

El médico le tocó la frente.

tower **torre**

There's a wonderful view from the tower.

Hay una vista preciosa desde la torre.

toy **juguete**

The kids received a lot of toys from Santa Claus.

Los niños recibieron muchos juguetes de Santa Claus.

traditional **tradicional**

They've kept their traditional customs.

Han mantenido las costumbres tradicionales.

traffic **tráfico**

There's little traffic on this street.

Hay poco tráfico en esta calle.

traffic jam **atasco**

New York is known for its traffic jams.

Nueva York es conocida por sus atascos.

traffic lights **semáforo**

The traffic lights turned green.

El semáforo se puso en verde.

translate **traducir**

He translates from French into Spanish.

Él traduce del francés al español.

travel **viajar**

He travels a lot.

Él viaja mucho.

tray **bandeja**

The waiter brought a tray with some food.

El camarero trajo una bandeja con comida.

tree **árbol**

The cat is in the tree.

El gato está en el árbol.

trip **viaje**

They took a trip to Istanbul.

Hicieron un viaje a Estambul.

truth **verdad**

He always told the truth.

Siempre decía la verdad.

try **intentar, probar**

You should try it at least once.

Deberías intentarlo por lo menos una vez.

T-shirt **camiseta**

I've lost my favorite T-shirt.

He perdido mi camiseta favorita.

turn **girar**

The motorcycle turned left at the traffic lights.

La moto giró a la izquierda en el semáforo.

turn off **apagar**

They turned off the lights and they went to sleep.

Apagaron las luces y se acostaron.

turn on **encender**

She turned on the light at the end of the hallway.

Ella encendió la luz que está al final del pasillo.

turn up **aparecer**

They turned up at the last minute.

Aparecieron en el último minuto.

type **tipo**

He isn't that type of person.

Él no es ese tipo de persona.

U

ugly **feo, a**

Cinderella's stepsisters were very ugly.

Las hermanastras de Cenicienta eran muy feas.

uncle **tío**

Her uncle died last year.

Su tío murió el año pasado.

under **debajo (de)**

There's an apple under the tree.

Hay una manzana debajo del árbol.

underpants, underwear **calzoncillos**

He always wears white underpants.

Siempre lleva calzoncillos blancos.

understand **comprender, entender**

He didn't understand the problem.

No comprendió el problema.

unemployed **parado, a**

He's been unemployed for two months.

Está parado desde hace dos meses.

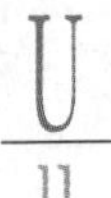

university **universidad**

Harvard University is a prestigious school.

La Universidad de Harvard es una prestigiosa institución.

unpleasant **antipático, a**

Linda is mean and unpleasant.

Linda es mala y antipática.

up **arriba**

Your shirt is up in my room.

Tu camisa está arriba en mi habitación.

use **empleo / servir, usar**

You must read the instructions for use.

Debes leer las instrucciones de empleo.

Use a good knife to cut the meat.

Usa un buen cuchillo para cortar la carne.

useful **útil**

This book has been very useful to us.

Este libro nos ha sido muy útil.

usually **soler, tener costumbre (de)**

They usually eat the same thing every Monday.

Tienen la costumbre de comer lo mismo todos los lunes.

V

vacation **vacaciones**

He takes his vacation in August.

Coge vacaciones en agosto.

be on vacation **estar de vacaciones**

They're on vacation now.

Están de vacaciones ahora.

---

vaccine **vacuna**

That vaccine is very helpful againts flu.

Esa vacuna es muy buena contra la gripe.

---

valuable **valioso, a**

That is a valuable piece of furniture.

Ese es un mueble valioso.

---

varied **variado, a**

The T.V. schedule is very varied.

La programación de televisión es muy variada.

---

veal **ternera**

Collin made a special dish with veal.

Collin preparó un plato especial de ternera.

vegetables **verdura**

She cooked vegetables for dinner.

Ella hizo verdura para cenar.

very **muy**

This is a very interesting book.

Este es un libro muy interesante.

very bad **fatal**

I'm very bad at this game.

Juego fatal a este juego.

very much **bastante; mucho, a**

I like playing tennis very much.

Me gusta mucho jugar al tenis.

village **pueblo**

That village is located on a mountaintop.

Ese pueblo está en lo alto de una montaña.

vinegar **vinagre**

That salad has too much vinegar.

Esa ensalada tiene demasiado vinagre.

visit **visitar**

Tim and Sam visited the cathedral.

Tim y Sam visitaron la catedral.

V

voice **voz**

She has a soft voice.

Tiene una voz suave.

wait **esperar**

John waited in line for hours.

John esperó en la cola horas.

waiter, waitress **camarero, a; mozo, a**

The waitress brought us a bottle of champagne.

La camarera nos trajo una botella de champagne.

wake up **despertarse**

Tim wakes up at six every day.

Tim se despierta a las seis todos los días.

walk **andar, caminar, pasear**

She walks to work every day.

Va andando al trabajo cada día.

wall **pared**

We're going to paint that wall.

Vamos a pintar esa pared.

want **querer**

He wants to be an artist.

Quiere ser artista.

war **guerra**

The First World War started in 1914.

La Primera Guerra Mundial comenzó en 1914.

warm **cálido, a**

It was a warm and sunny day.

Fue un día cálido y soleado.

warn **advertir**

He warned her of the danger.

Él la advirtió del peligro.

warning **advertencia / atención**

There's a warning sign on the road.

Hay una señal de advertencia en la carretera.

wash **lavar(se)**

I usually wash my hands before lunch.

Suelo lavarme las manos antes de comer.

wastepaper bin, wastebasket **papelera**

He threw his chewing gum into the wastebasket.

Tiró el chicle a la papelera.

watch **reloj**

He gave me a watch for my birthday.

Me regaló un reloj para mi cumpleaños.

water **agua**

She boiled some water.

Ella hirvió un poco de agua.

mineral water **agua mineral**

They only drink mineral water.

Solo beben agua mineral.

---

weak **débil**

Judie still feels weak.

Judie todavía se siente débil.

---

weapon **arma**

You need a licence to own a weapon.

Necesitas una licencia para tener un arma.

---

wear **llevar**

He often wears jeans.

Él lleva a menudo pantalones vaqueros.

---

weather **tiempo**

What is the weather like in Geneva?

¿Qué tiempo hace en Ginebra?

---

wedding **boda**

Mary bought a new dress for the wedding.

Mary compró un vestido nuevo para la boda.

W

W

week **semana**

My two brothers went to Italy for a week.

Mis dos hermanos estuvieron en Italia una semana.

weekend **fin de semana**

Let's go fishing this weekend.

Vayamos a pescar este fin de semana.

---

well **bien**

I did very well in the exam.

El examen me salió muy bien.

---

while **mientras / rato**

She sang while she sewed.

Cantaba mientras cosía.

They stayed for a while.

Se quedaron un rato.

---

wide **ancho, a**

The road is very wide.

La carretera es muy ancha.

---

widower, widow **viudo, a**

In his will he left everything to his widow.

En su testamento se lo dejó todo a su viuda.

---

width **anchura**

What is the width of that table?

¿Cuál es la anchura de esa mesa?

wife **esposa, mujer**

His wife has had cancer for two years.

Su esposa tiene cáncer desde hace dos años.

win **ganar**

My brother won the lottery a year ago.

Mi hermano ganó la lotería hace un año.

wind **viento**

There is an icy wind.

Sopla un viento helado.

window **ventana**

They forgot to close the window.

Se les olvidó cerrar la ventana.

wine **vino**

They celebrated their anniversary with wine.

Celebraron su aniversario con vino.

red / white / rosé wine **vino tinto / blanco / rosado**

This restaurant has a good selection of red wines.

Este restaurante tiene una buena selección de vinos tintos.

wish **desear, deseo**

Make a wish before blowing out the candles.

Pide un deseo antes de apagar las velas.

woman **mujer**

He went to the party disguised as a woman.

Él fue a la fiesta disfrazado de mujer.

wood **madera**

I like wooden furniture.

Me gustan los muebles de madera.

wool **lana**

That jersey is made of wool.

Ese jersey es de lana.

word **palabra**

I can't find that word in the dictionary.

No encuentro esa palabra en el diccionario.

work **trabajar**

He works in Seattle.

Él trabaja en Seattle.

world **mundo**

Ethiopia is one of the poorest countries in the world.

Etiopía es uno de los países más pobres del mundo.

wound **herida**

Her wound got infected.

Se le infectó la herida.

wrap up warmly **abrigarse**

They wrapped up warmly before going out.

Se abrigaron bien antes de salir.

wrinkle **arruga**

She had wrinkles around her eyes and mouth.

Tenía arrugas alrededor de los ojos y la boca.

wrinkled **arrugado, a**

The clothes were all wrinkled.

La ropa estaba muy arrugada.

wrist **muñeca**

Susan is wearing a bracelet on her wrist.

Susan lleva una pulsera en la muñeca.

write **escribir**

He wrote a two-page composition.

Escribió una redacción de dos páginas.

writer **escritor, a**

The writer presented her new book.

La escritora presentó su nuevo libro.

wrong **mal**

She spelled her last name wrong.

Ella deletreó mal su apellido.

Y

year **año**

Happy new year!

¡Feliz año nuevo!

---

yesterday **ayer**

We went to a concert yesterday.

Ayer fuimos a un concierto.

---

yet **todavía**

Tom hasn't graduated yet.

Tom no se ha licenciado todavía.

---

young **joven**

She's still very young.

Ella es muy joven todavía.

VOCABULARIO ILUSTRADO

Índice

CUERPO HUMANO

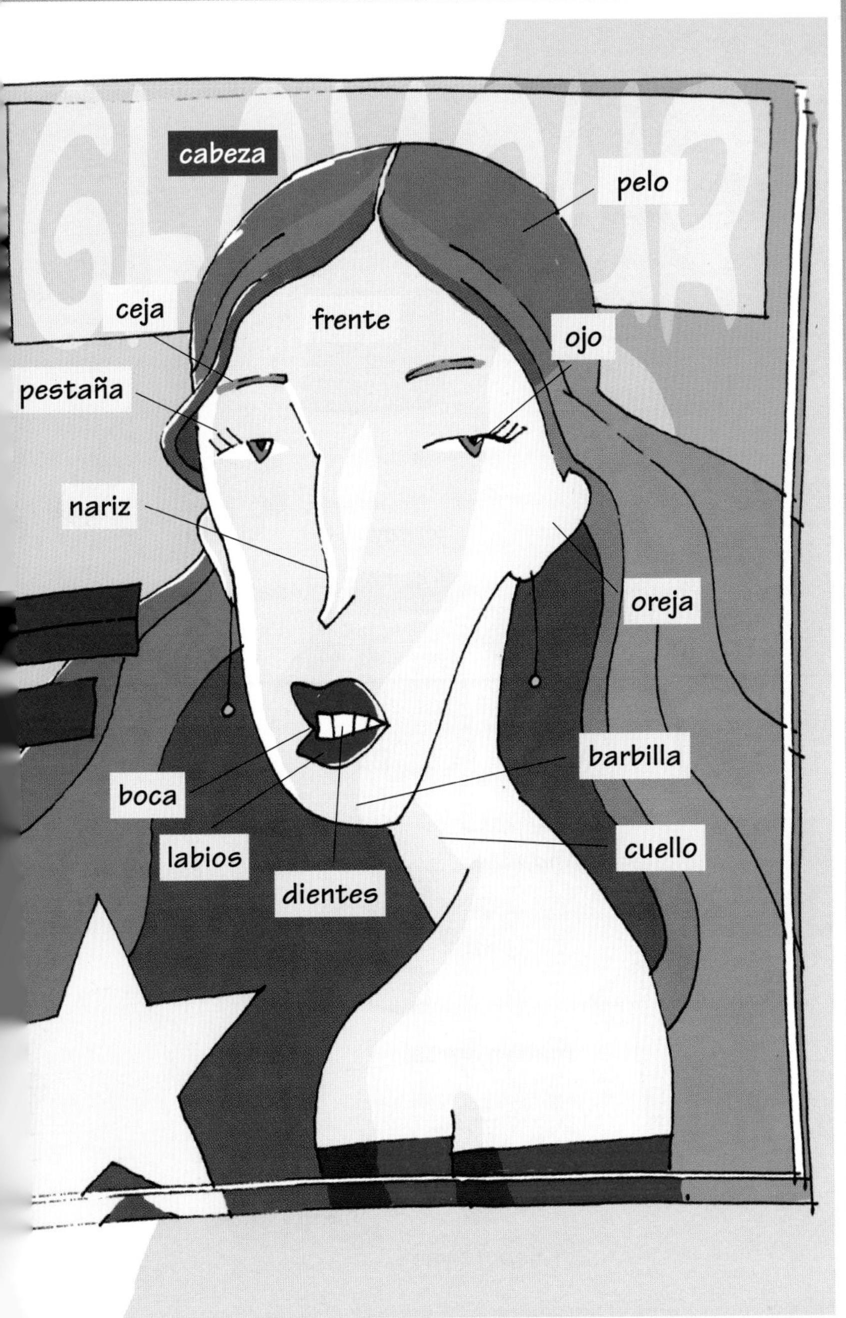
cabeza
pelo
ceja
frente
ojo
pestaña
nariz
oreja
barbilla
boca
cuello
labios
dientes

ROPA

abrigo
chaqueta
vestido
cazadora
jersey
bufanda
sandalias
gabardina
manga corta
camiseta
deportivas
manga larga
camisa

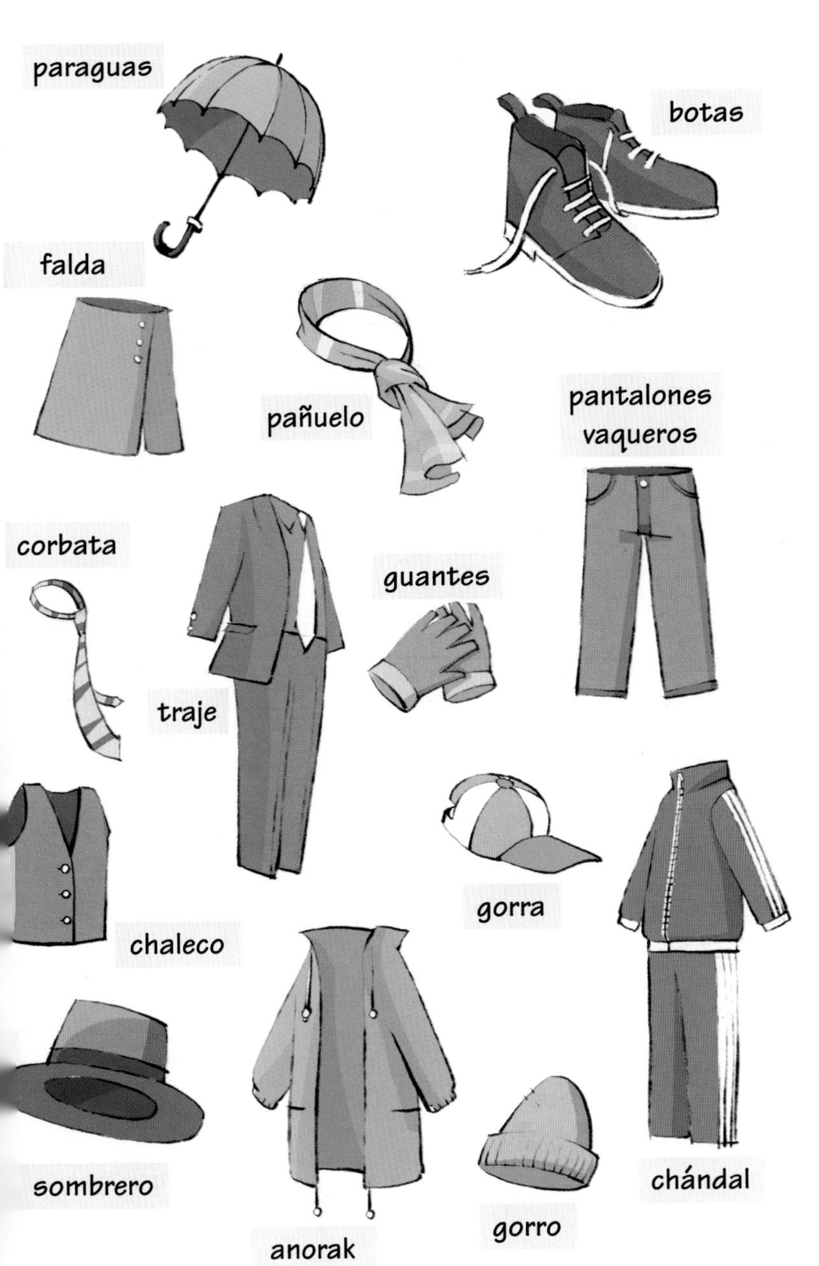
paraguas
botas
falda
pañuelo
pantalones
vaqueros
corbata
guantes
traje
gorra
chaleco
sombrero
chándal
gorro
anorak

ROPA

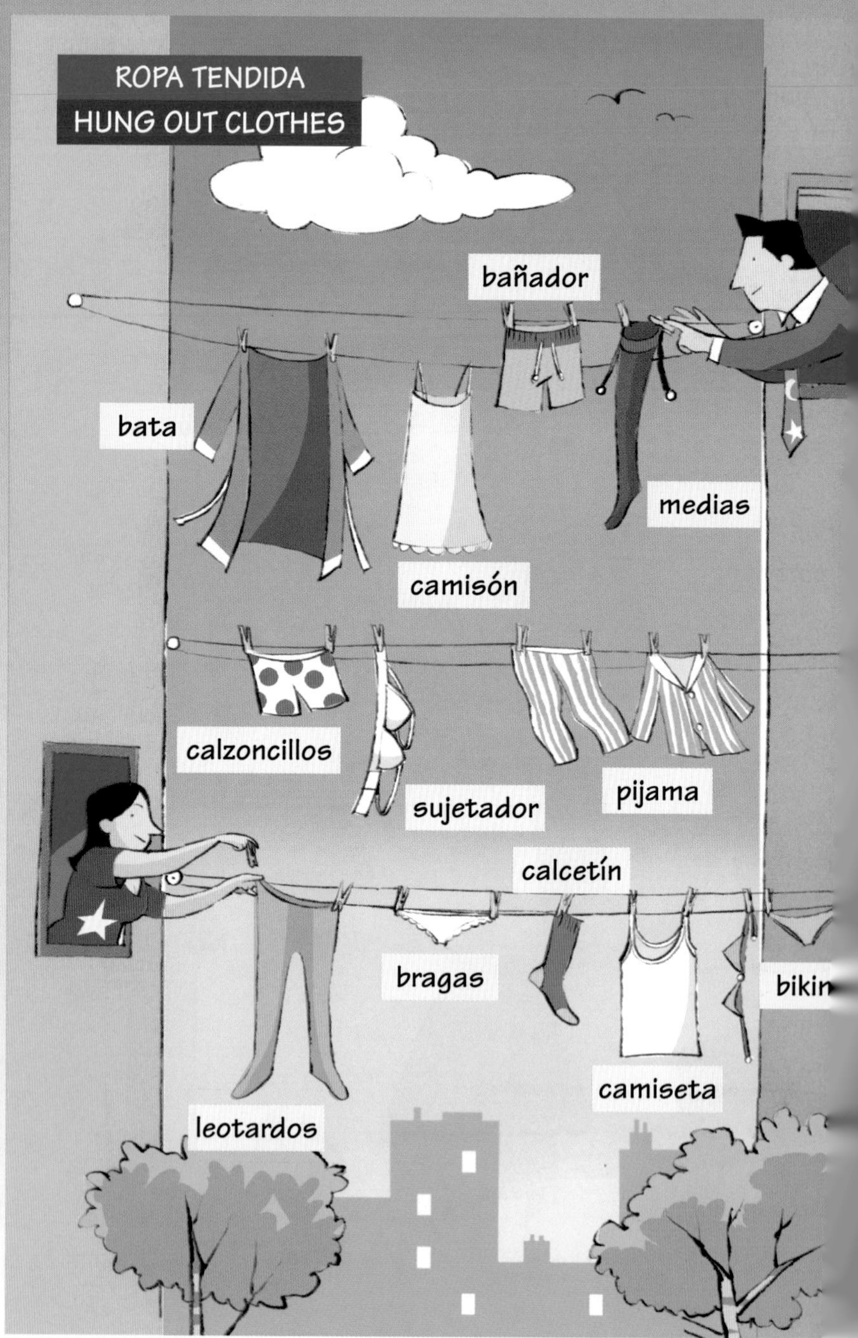

ROPA TENDIDA
HUNG OUT CLOTHES
bañador
bata
medias
camisón
calzoncillos
sujetador
pijama
calcetín
bragas
camiseta
leotardos

INSTRUMENTOS MUSICALES

ANIMALES DOMÉSTICOS
PETS AND FARM ANIMALS
caballo
vaca
gato
cerdo
perro
oveja
pez

ANIMALES SALVAJES
WILD ANIMALS
jirafa
águila
mono
elefante
león
tigre

COLORES

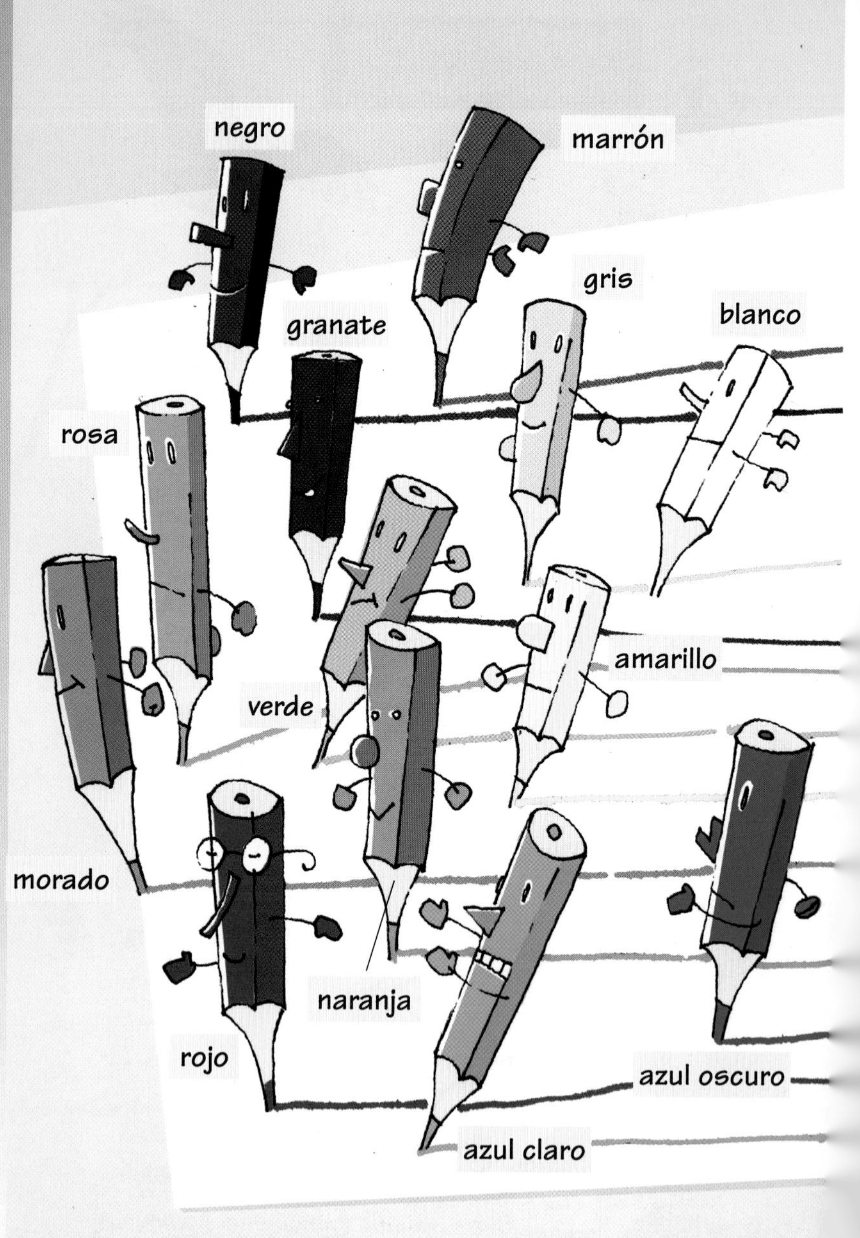
negro
marrón
gris
granate
blanco
rosa
amarillo
verde
morado
naranja
rojo
azul oscuro
azul claro

EN LA CASA

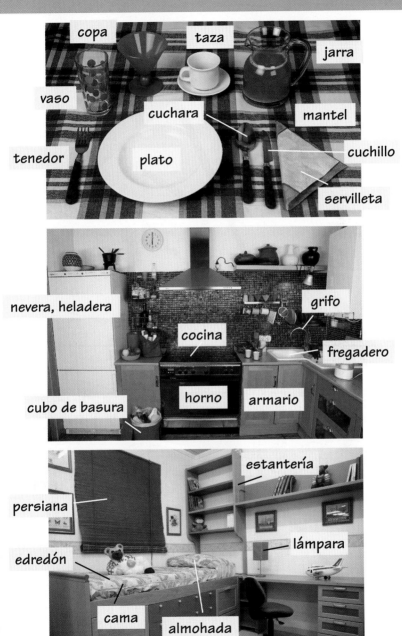

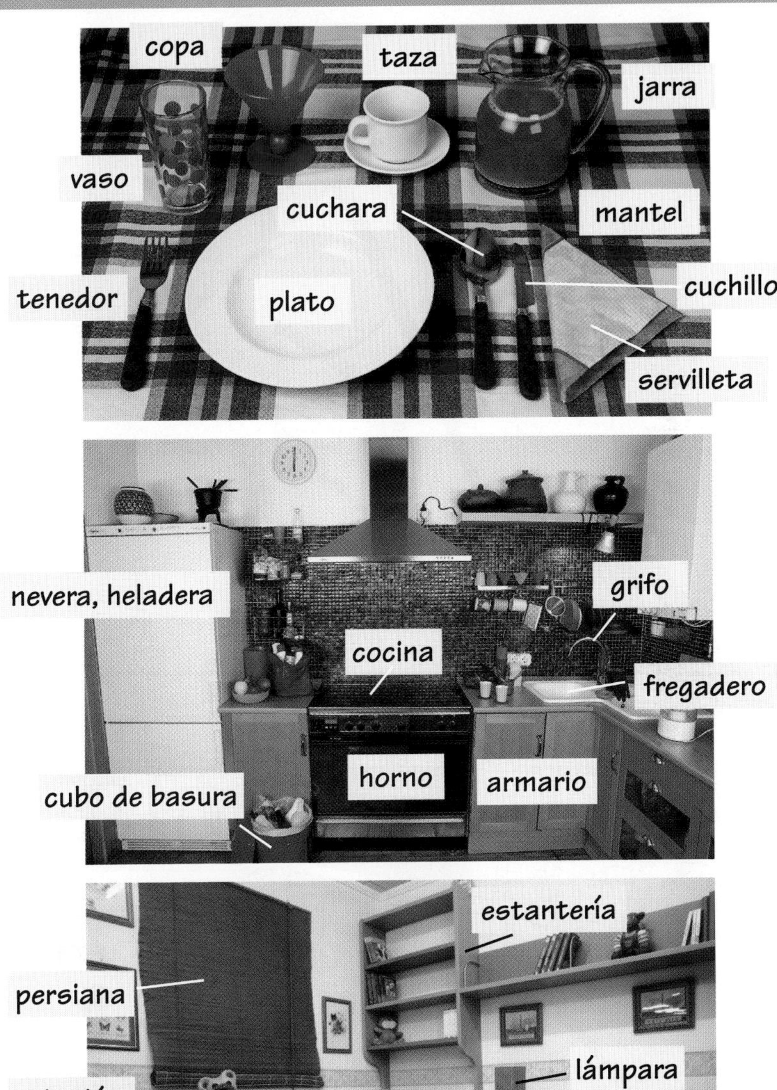
copa
taza
jarra
vaso
cuchara
mantel
tenedor
plato
cuchillo
servilleta
nevera, heladera
grifo
cocina
fregadero
horno
armario
cubo de basura
estantería
persiana
lámpara
edredón
cama
almohada

PARTES DE LA CASA

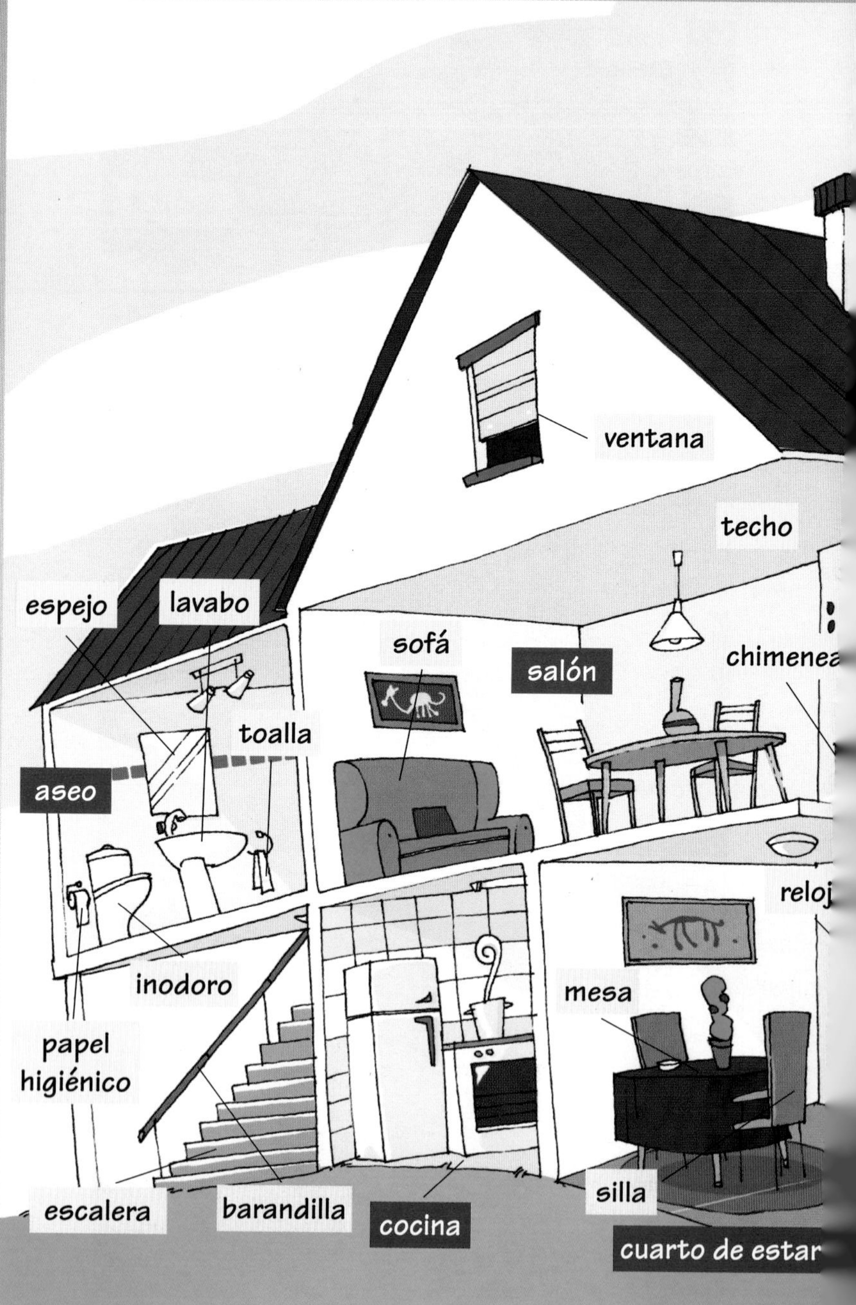

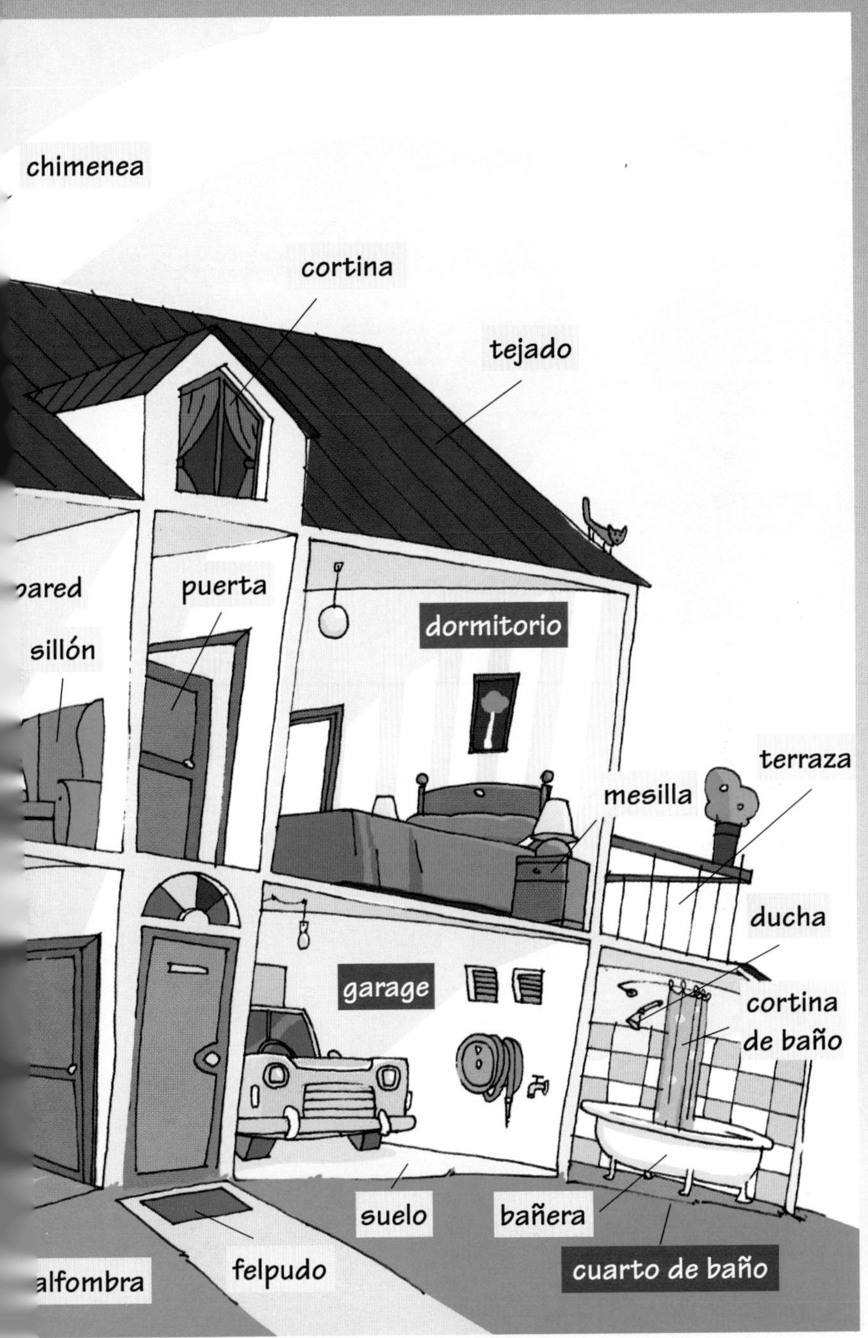
chimenea
cortina
tejado
ared
puerta
sillón
dormitorio
terraza
mesilla
ducha
garage
cortina
de baño
suelo
bañera
felpudo
lfombra
cuarto de baño

EN LA OFICINA

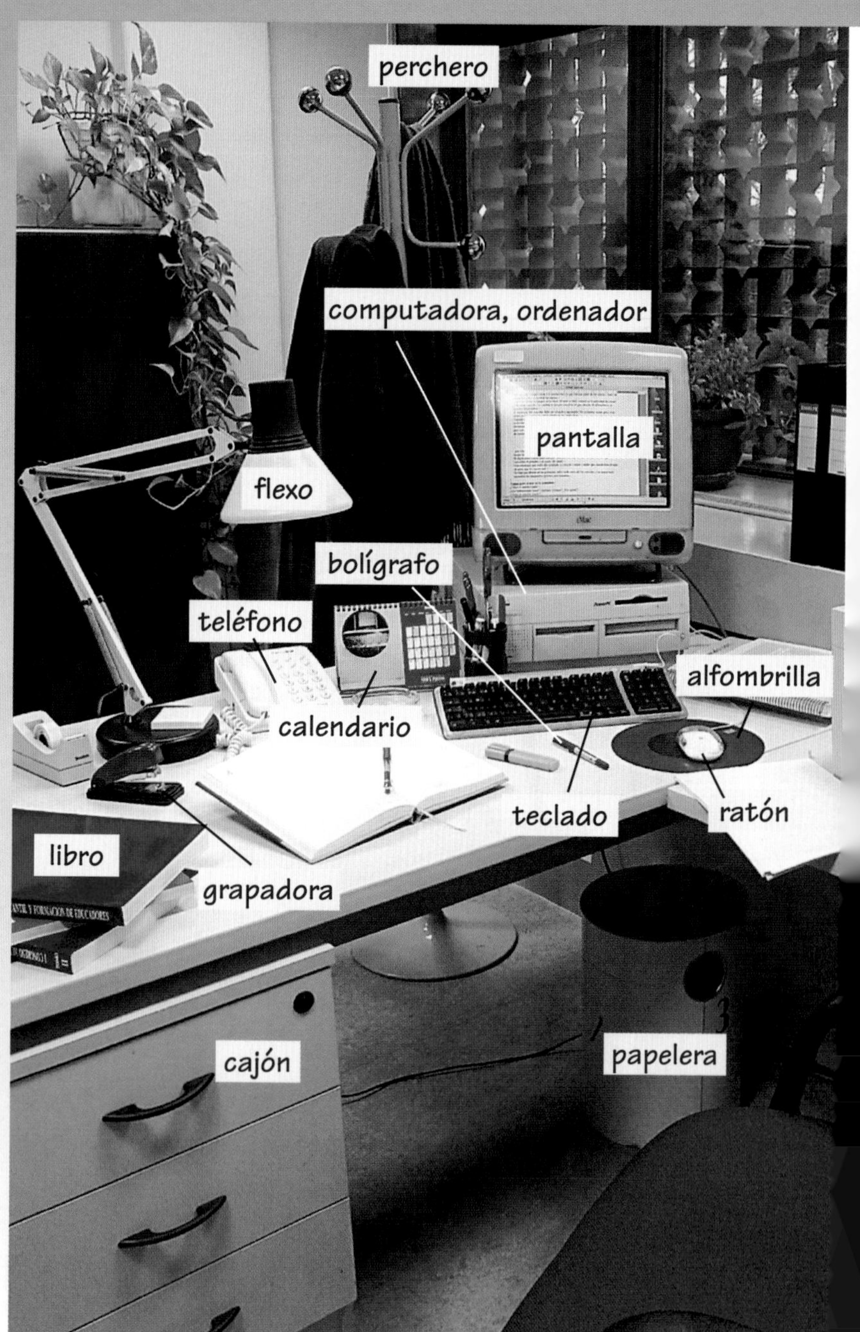

perchero
computadora, ordenador
pantalla
flexo
bolígrafo
teléfono
alfombrilla
calendario
teclado
ratón
libro
grapadora
cajón
papelera

frutas

ciruelas

piña

albaricoques

fresas

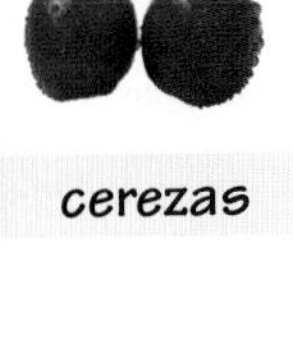

cerezas

limón

melocotón

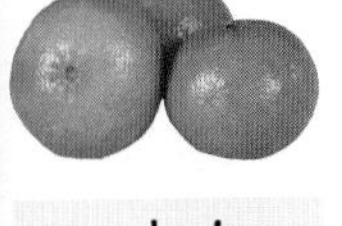

mandarinas

aguacates

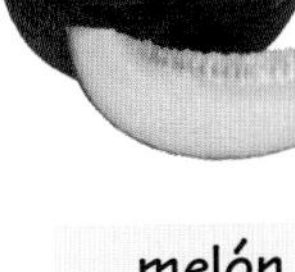

melón

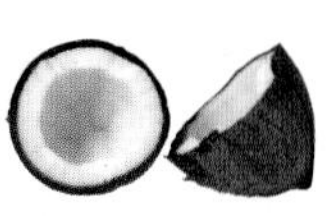

coco

pera

naranja

plátano

sandía

higos

manzana

ALIMENTOS

verduras

lechuga

guisantes

coliflor

repollo

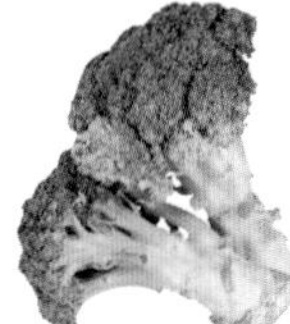

brócoli

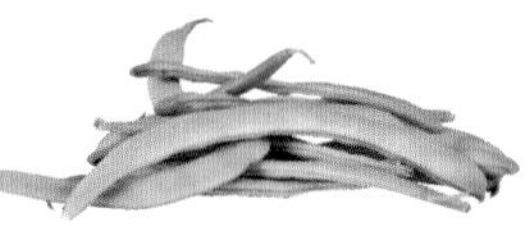

judías verdes

acelgas

espinacas

frutos secos

nueces

cacahuetes

avellanas

almendras

arroz

maíz

pasta

cerdo (cochinillo)

pollo

productos lácteos

mantequilla

leche

queso

yogur

embutidos

jamón

mortadela

salchichas

chorizo

legumbres

garbanzos

lentejas

judías blancas

espárragos

remolacha

berenjenas

ajo

cebolla

nabo

patata, papa

zanahorias

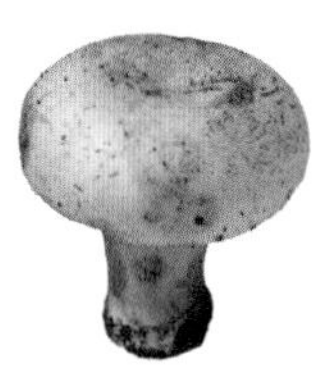

champiñón

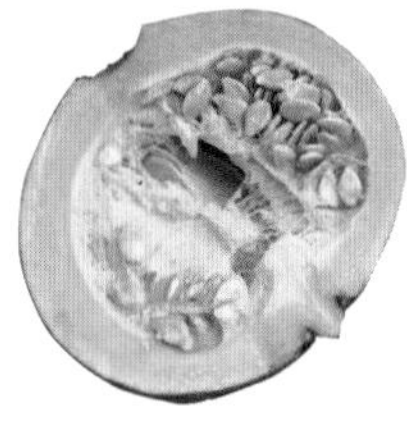

calabaza

pimiento

pepino

tomate

pescado

RELACIONES DE PARENTESCO
FAMILY RELATIONSHIPS

Carlos es **sobrino** de Juan.
Marta y Ana son **cuñadas**.
Ana es la **nuera** de Felipe y Manuela.
Jesús es **yerno** de Felipe y Manuela.
Carlos es **nieto** de Felipe y Manuela.
Marta es la **mujer** de Jesús.

EN LA CIUDAD

calle
Calle del Sol
boca de metro
METRO
METRO
farola
semáforo
autobús, colectivo
27
P
27
parada de autobús
paso de cebra
árbol
banco
señal de tráfico
parque
fuente
acera, vereda

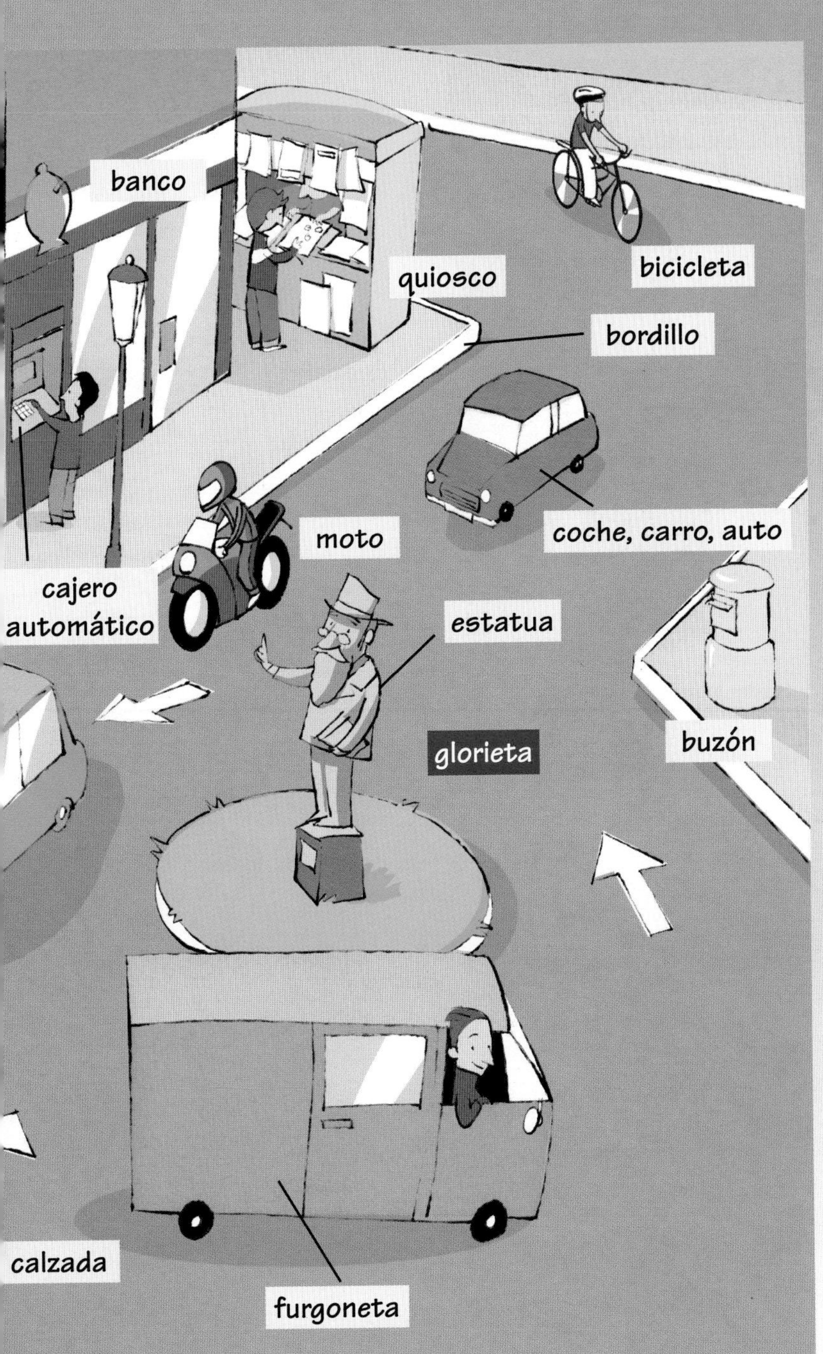
banco
quiosco
bicicleta
bordillo
coche, carro, auto
moto
cajero
automático
estatua
glorieta
buzón
calzada
furgoneta

DESCRIPCIÓN FÍSICA

DEPORTES Y DEPORTISTAS

ESTADOS DE ÁNIMO

nervioso

deprimido

alegre, contento

enfadada

triste

COMPLEMENTOS

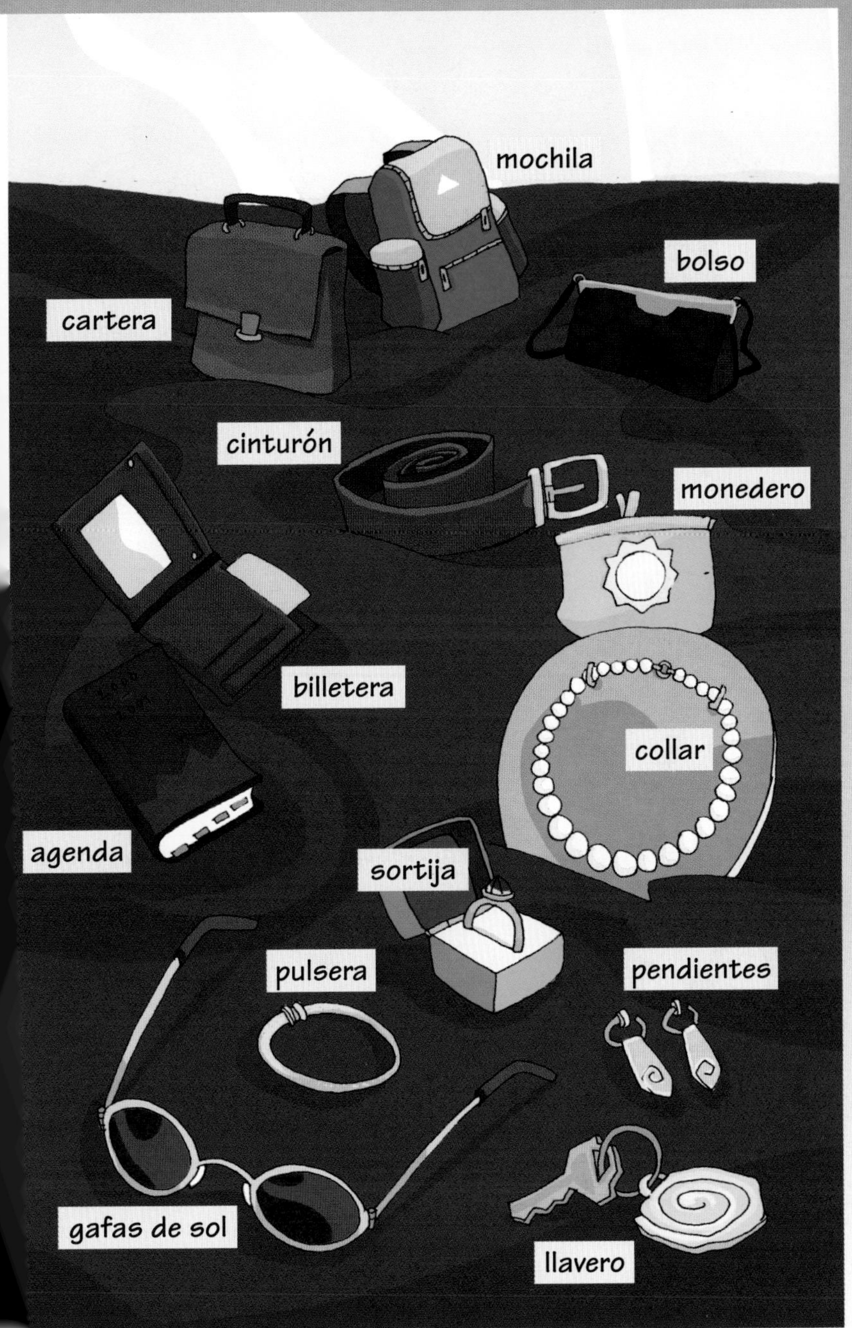

PROFESIONES

abogado

médico

cocinero

peluquero

arquitecta

camarera, moza

escritora

fontanero

fotógrafa

pintor

periodista

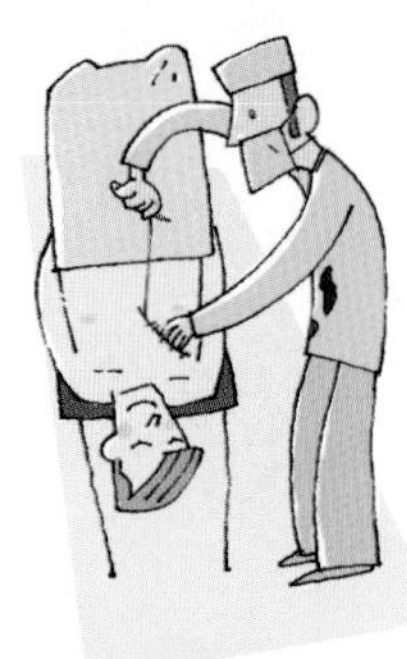

cirujano

bombero

profesor

electricista

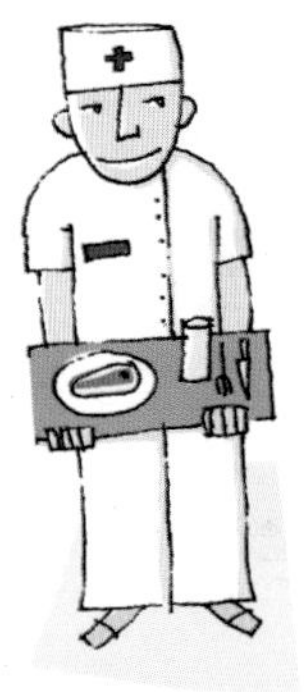

enfermero

policía

cartera

MEDIOS DE TRANSPORTE

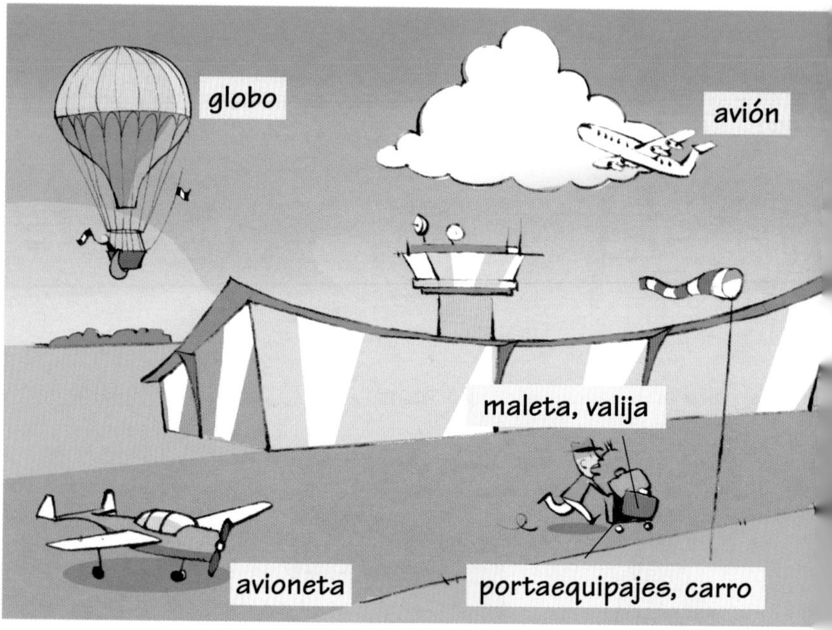

globo
avión
maleta, valija
avioneta
portaequipajes, carro

puerto
faro
cubierta
barco
autocar
ancla
escalera de embarque

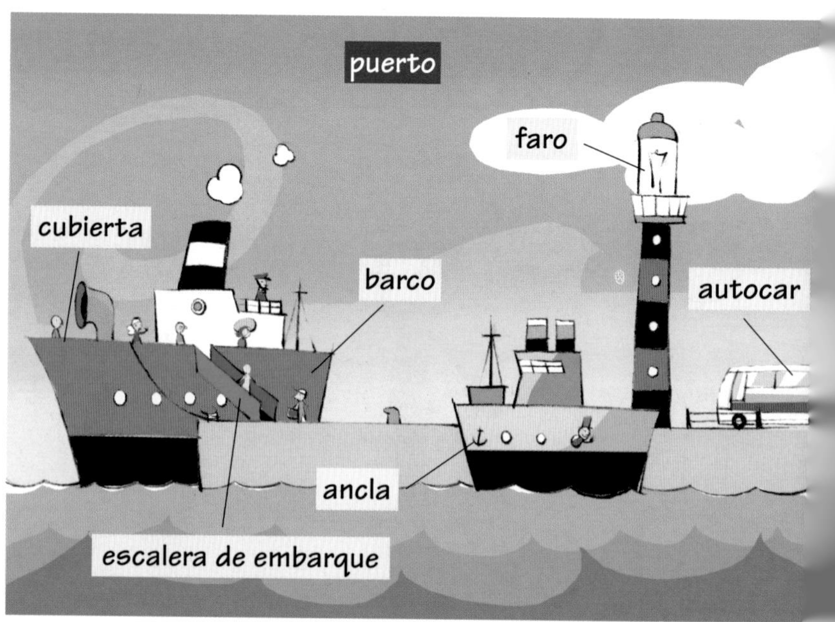

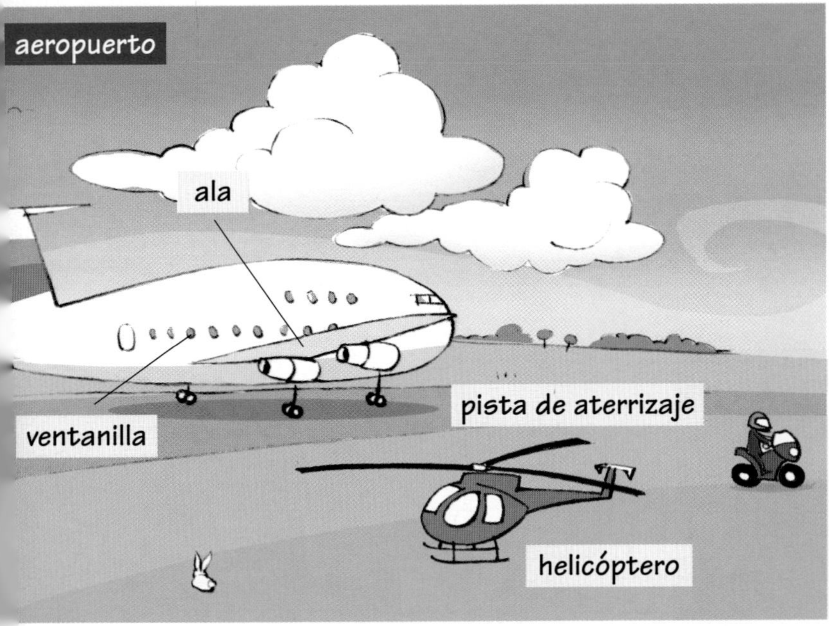

aeropuerto
ala
ventanilla
pista de aterrizaje
helicóptero

estación de tren
parada de taxi
TAXI
andén
vagón de tren
tren
vía

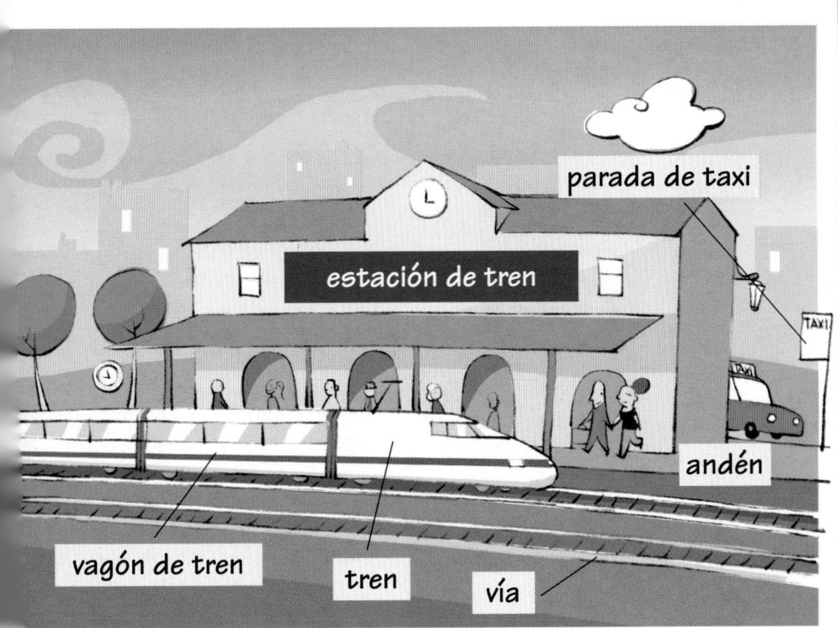

ESTABLECIMIENTOS COMERCIALES

cruasán
pan
frutería
lavandería
ıatería
floristería
tintorería
plantas
flor
galletas
panadería

TURISMO

sinagoga

mar
isla
playa

mezquita

desierto

catedral

montaña
río

Situaciones Cotidianas

Índice

SALUDAR Y DESPEDIRSE

1. Buenos días, Sr. Gómez. ¿Qué tal está?
Good morning, Mr. Gómez. How are you?

2. Muy bien, gracias. ¿Y usted?
I'm fine, thank you. And you?

1. Bien, gracias. Mire, le presento al Sr. García.
Fine, thanks. I'd like to introduce you to Mr. García.

2. Mucho gusto.
Nice to meet you.

3. Encantado.
Pleased to meet you.

Sr.: señor	Mr.
Srta.: señorita	Miss
Sra.: señora	Mrs.
D.: Don	Mr.
D.ª: Doña	Mrs.

Hola, ¿qué tal?	*Hi, what's up?*
Muy bien	*Very well*
Hola, ¿cómo estás?	*Hi, how are you?*
Mal, muy mal	*Not so good, not good at all*
Hola, ¿qué hay?	*Hi, how are you?*
Hola, ¿cómo te va?	*Hi, how are things?*
Buenas	*Hi there*

Buenas tardes / noches	*Good afternoon / evening*
Hola	*Hello*
Hasta mañana	*See you tomorrow*
Hasta luego / pronto	*See you later / soon*
Hasta el lunes, martes...	*See you on Monday, Tuesday...*
Adiós	*Goodbye*

Que duermas bien	*Hope you sleep well*
Que lo pases bien	*Have fun*
Buena suerte	*Good luck*

Que descanses.
Rest well.

Que te diviertas.
Have fun.

EN EL RESTAURANTE

1. ¿Me trae la carta, por favor?
Could you bring me the menu, please?

– De primero, quiero ensalada.
As a starter, I'd like salad.

– Agua mineral y vino.
Mineral water and wine.

– Por favor, ¿puede traer un poco de pan?
Could you bring me some bread, please?

– No, nada más, gracias.
No, nothing else, thank you.

2. Sí, aquí tiene.

Yes, here you are.

– ¿Qué van a tomar / pedir?

What would you like to order?

– ¿Y para beber?

And what would you like to drink?

– ¿Algo más?

Anything else?

carne muy hecha	well-done meat
filete poco hecho	rare steak
huevo frito / cocido	fried / hard-boiled egg
verdura hervida / rehogada	boiled / lightly fried vegetables
tortilla de patatas	Spanish omelette
tortilla francesa	omelette
ensaladilla rusa	potato salad

reservar mesa
reserve a table
una mesa para dos
a table for two
de primero
as a starter
de segundo
for the main course
de postre
for dessert
por favor, ¿nos trae un poco más de agua, pan, vino...?
could you please bring us some more water, bread, wine...?
la cuenta, por favor
the bill, please
dejar propina
leave a tip
¿el servicio está incluido?
is service included?

1. ¿Qué desean tomar?
What would you like to drink?

2. Un café solo con mucha azúcar.
A black coffee with a lot of sugar.

3. Pues yo voy a tomar un té.
I'd like to have a cup of tea.

2. ¿Cuánto es, por favor?
How much is it, please?

¿Qué hay para picar?	What snacks do you have?
¿Raciones o pinchos?	Portions or snacks?
¿Dónde están los servicios?	Where are the restrooms?
¿Nos sentamos en la barra?	Should we sit at the counter?

café solo	black coffee
café con leche	coffee with milk
café cortado	coffee with a dash of milk

tapa de bacalao	a "tapa" of cod
pincho de tortilla	a portion of Spanish omelette
ración de calamares	a portion of squid

1. Hola, quería facturar el equipaje.
Hello, I'd like to check in my luggage.

2. Muy bien. ¿Me da el billete y el pasaporte, por favor?
Right. Can I have your plane ticket and passport, please?

1. ¿Qué prefiere: ventanilla o pasillo?
Would you prefer a window or an aisle seat?

2. Prefiero ventanilla.
I prefer a window seat.

1. Muy bien. Aquí tiene su tarjeta de embarque. Buen viaje.
O.K. Here's your boarding pass. Have a nice flight.

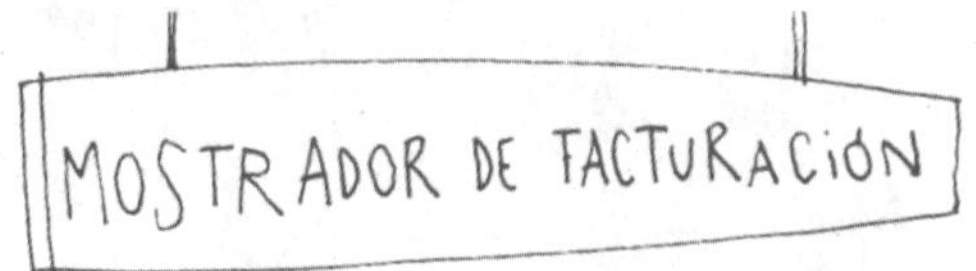

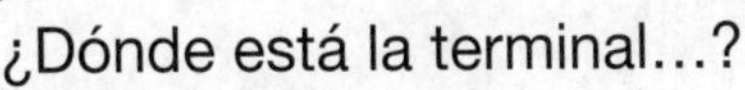
¿Dónde está la terminal...?
Where is terminal...?

7:00
8:00
9:00
10:00
10:00

Pasaje de barco / de avión
Boat / plane ticket
Perdone, ¿dónde está la puerta de embarque 5?
Excuse me, where is boarding gate number 5?
¿Hay retraso en el vuelo...?
Has the flight... been delayed?
¿Lleva equipaje de mano?
Do you have any hand luggage?
¿Dónde hay carros?
Where are the luggage trolleys?
¿Dónde hay una parada de taxis?
Where can I find a taxi stand?
¿Dónde está la zona de fumadores?
Where is the smoking area?
Han perdido mi maleta. ¿Dónde puedo reclamar?
I've lost my luggage. Where should I report this?

Quería anular el billete.
I'd like to cancel the ticket.
¿Hay descuento para estudiantes?
Are there discounts for students?
VÍA 1
VÍA 2
VÍA 3

¿De qué vía sale el tren en dirección a...?	What platform does the train to... leave from?
Billete de primera clase	A first-class ticket
¿A qué hora sale el tren para...?	What time does the train to... leave?
¿Cuánto tarda el tren en llegar a...?	How long does the train to... take?
¿Dónde está la consigna?	Where is the left-luggage office?

Por favor, ¿me puede decir el horario de los trenes para Toledo?

Could you tell me what the train schedule for Toledo is, please?

¿Cuánto cuesta el billete de ida? ¿Y de ida y vuelta?

How much is a one-way ticket? And a round-trip ticket?

¿Dónde está el andén 8?
Where is platform 8?

1. ¿Puedo ayudarla?
Can I help you?

2. Sí, quería una falda.
Yes, I'd like a skirt.

1. ¿Cómo la quiere? ¿Larga o corta? ¿Y de qué talla?
What kind of skirt? Long or short? And what size?

¿Dónde está la caja?	Where is the cash desk / checkout?
Pagar con tarjeta	Pay with a card
Pagar en efectivo	Pay cash

When referring to electrical appliances and furniture, the expressions used are:

Pagar al contado	Pay cash
Pagar a plazos	Pay in installments

For clothing, the Spanish word for size is "talla":

¿Qué talla?	What size?
Mi talla es...	My size is...

With shoes, the Spanish word for size is "número":

¿Qué número?	What size?
Mi número es...	My shoe size is...

Por favor, quería ver pantalones	I'd like to see some pants, please
¿Puedo probarme esta camisa?	May I try on this shirt?
¿Dónde está el probador?	Where is the changing room?
¿Dónde está la sección de...?	Where is the... department?
¿Cuánto cuestan estos pantalones?	How much are these trousers?

AL TELÉFONO

1. ¿Diga?
Hello?

2. Hola, quería hablar con Mario.
Hi, I'd like to speak to Mario.

1. ¿De parte de quién?
Who's calling?

2. De parte de Laura.
This is Laura.

1. Sí, ahora se pone.
O.K. I'll get him for you.

¿Sí, dígame?	Hello?
Hola, ¿está Juan?	Hi, is Juan there?
Sí, soy yo	Yes, this is Juan speaking

¿Puedo hacer una llamada?

Está comunicando / Comunica	The line is busy
Ponerse al teléfono	Take the phone
Colgar el teléfono	Put down the phone
Descolgar el teléfono	Pick up the phone
Espere un momento, por favor	Hold on a moment, please
¿Cuál es el prefijo de…?	What is the code for...?
Hacer una llamada a cobro revertido	Make a collect call
Dejar un recado en el contestador	Leave a message on the answering machine
¿Dónde hay una cabina de teléfono?	Where can I find a telephone booth?
No hay cobertura	There is no coverage
teléfono móvil	mobile phone / cell phone
teléfono fijo	fixed phone, land line

LA HORA

Oye, Juan, ¿qué hora es?
Hey, Juan, what time is it?
Menos cuarto.
Quarter to.
¿Las ocho?
Eight?
Sí.
Yes.

Por favor… ¿Tiene hora?
Excuse me, what time is it?
Sí…, las dos y diez.
Yes... It's ten past two.

¿Qué hora es?	What time is it?
Es la una de la tarde	It's one in the afternoon
Son las dos, las tres...	It's two, three...
Son las cinco y cuarto	It's a quarter past five
Me levanto a las ocho	I get up at eight
¿A qué hora es la cena?	At what time is dinner served?
¿A qué hora quedamos? A las 12	What time should we meet? At 12

PREGUNTAR UNA DIRECCIÓN

Perdone, ¿sabe si hay una farmacia por aquí cerca?

Excuse me, do you know if there is a pharmacy somewhere around here?

Muchas gracias.

Thank you very much.

Sí, hay una al final de esta calle a la derecha.

Yes, there is one at the end of this street on the right.

De nada.

You're welcome.

¿Puede decirme dónde está...?
Could you tell me where the... is?
¿Dónde hay un banco cerca de aquí?
Where can I find a bank near here?
¿Puede decirme cómo llegar a la calle...?
Could you tell me how to get to... street?

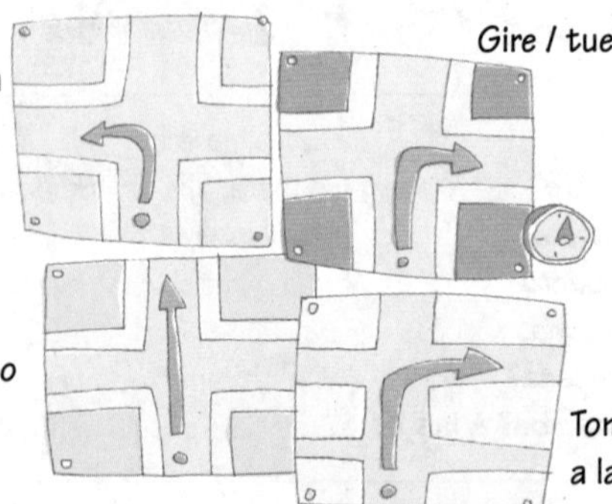
Gire / tuerza a la izquierda
Gire / tuerza a la derecha
Siga todo recto
Tome la segunda calle a la derecha

1. Hola, quería reservar dos entradas para la función de noche.
Hi, I'd like to reserve two tickets for tonight's show.

2. ¿Patio de butacas o palco?
In the orchestra / stalls or a box seat?

1. Patio, por favor.
Stall seats, please.

No hay localidades.	Sold out.
sesión de tarde	afternoon performance
sesión de noche	evening performance
versión original subtitulada	original version with subtitles
Por favor, dos entradas para la película...	Two tickets for the film..., please
obra de teatro	play
primera / segunda / última fila	first / second / last row
entradas centradas	centrally-located seats

1. Buenas tardes, tenemos una reserva a nombre de John Smith.
Good afternoon, we have a reservation under the name John Smith.

2. Ah, sí, ya veo. Una habitación doble con cama supletoria.
Oh yes, I see. A double room with an extra bed.

1. ¿Aceptan tarjetas de crédito o hay que dejar una señal?
Do you accept credit cards or do I have to leave a deposit?

2. Como usted quiera, señor.
Whatever you prefer, sir.

media pensión	half board
pensión completa	full board
habitación doble	double room
habitación individual	single room
cama supletoria	extra bed
hacer una reserva	make a reservation

Por favor, ¿pueden subir mi equipaje?
Could you take my luggage to my room, please?
¿Dónde está el comedor?
Where is the dining room?
¿A qué hora es el desayuno / la cena?
What time is breakfast / dinner served?

–¿Hay alguna habitación libre?
–Are there any vacancies?
–Lo siento, está completo
–I'm sorry, we have no vacancies

Por favor, ¿puede pedir un taxi?
Could you call a taxi, please?
Perdone, ¿tiene un mapa de la ciudad?
Excuse me, do you have a city map?
Por favor, ¿pueden avisarme mañana a las ocho?
Could you please wake me up tomorrow at eight?
¿Hay algún recado para mí?
Are there any messages for me?
¿Hay servicio de lavandería?
Is there a laundry service?

Por favor, ¿pueden subirme el desayuno a la habitación?
Could you serve me breakfast in my bedroom, please?

EN EL BANCO

Hola, buenos días, quería cobrar este cheque.
Good morning, I'd like to cash this check.

Hola, quería hacer una transferencia a esta cuenta corriente.
Hi, I'd like make a transfer to this bank account.

Hola, quería cambiar dólares / libras por euros.
Hi, I'd like to change dollars / pounds into euros.

abrir una cuenta corriente	open a bank account
tarjeta de crédito / de débito	credit / debit card
sacar dinero	take out money
ingresar dinero	deposit money
cheque al portador	bearer check
cajero automático	cash machine
¿A cuánto está el cambio del dólar?	What is the exchange rate for the dollar?
¿Cuál es la comisión por la operación?	What is the fee for this transaction?

EN LA COMISARÍA DE POLICÍA

1. Hola, quería poner una denuncia.
Hi, I'd like to present a report.

2. ¿Por qué motivo?
Why?

1. Porque me han robado el bolso.
Because someone has stolen my purse.

2. Muy bien, rellene este impreso con sus datos.
O.K., fill out this form with your personal information.

denunciar un robo
report a theft
No entiendo nada. ¿Puede venir un intérprete, por favor?
I don't understand. Could I have the assistance of an interpreter, please?
Se me ha perdido el pasaporte
I've lost my passport
¿Puedo llamar a mi embajada?
Can I call my embassy?

1. Buenos días, ¿en qué puedo ayudarle?
Good morning, can I help you?

2. Por favor, quería solicitar un Permiso de Residencia.
I'd like to apply for a Residence Permit, please.

1. ¿Trabaja Ud. en la actualidad?
Are you working right now?

2. Sí, tengo un contrato de trabajo.
Yes, I have a job contract.

1. Entonces, necesita un Permiso de Trabajo y Residencia. Aquí tiene el impreso y la información de los documentos que debe presentar.
Then you need a Residence and Work Permit. Here is the form and a list of the documents you need to submit.

Tiene que presentar original y fotocopia de los documentos.
You have to submit the original and a photocopy of the documents
¿Tiene visado de turismo / residencia / estudiante?
Do you have a tourist / residence / student visa?
Rellene y firme este impreso / solicitud.
Fill out and sign this form / application

Pasaporte en vigor
Valid passport
Permiso de Residencia
Residence Permit
Permiso de Trabajo y Autorización de Residencia (por cuenta ajena / por cuenta propia)
Residence and Work Permit (employed / self-employed)
Prórroga de estancia
Extension of stay
Autorización de regreso
Return authorization
Cédula de inscripción
Registration certificate

EN EL AUTOBÚS

1. Perdone, ¿qué autobús va al centro?
Excuse me, what bus goes to the city centre?

2. El 12.
Number 12.

1. ¿Con qué frecuencia pasa?
How often does it come?

2. Cada diez minutos.
Every ten minutes.

1. Gracias, muy amable.
Thank you, that's very kind of you.

¿Dónde está la estación de autobuses?	Where is the bus station?
¿Dónde está la parada de autobús más cercana?	Where is the closest bus station?
Parada solicitada	Stop requested

You can ask the driver:

Por favor,	Please,
¿Este autobús pasa cerca de...?	Does this bus go near...?
¿Este autobús para en el centro?	Does this bus go to the city center?
¿Dónde debo bajarme para ir a...?	Where do I get off to go to...?
¿Queda mucho para llegar a...?	How far are we from...?

EN EL METRO

1. Perdone, ¿qué línea tengo que coger para ir a la calle Valverde?
Excuse me, what line do I have to take to go to Valverde Street?

2. La 4. Después haces trasbordo a la línea 5.
Number 4, and then change to line 5.

1. ¿Y en qué estación debo bajarme?
And what is the name of the station where I need to get off?

2. En Gran Vía.
Gran Vía.

1. Gracias, muy amable.
Thank you very much.

¿Debo hacer trasbordo?
Do I have to change lines?
Por favor, ¿me da un plano del metro?
Could you give me a subway / underground map, please?
Por favor, ¿dónde está la estación de metro más cercana?
Where is the nearest underground / subway station, please?
Cuidado con el escalón
Watch the step

EN EL TAXI

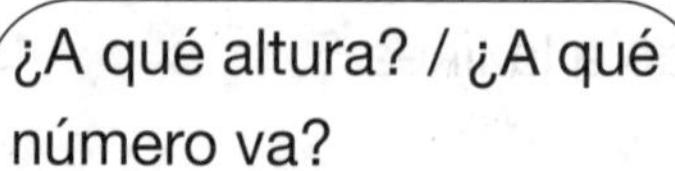

¿A qué altura? / ¿A qué número va?
Where exactly? / What number?

Hola, lléveme a la calle Alcalá, por favor.
Hi, please I'd like to go to Alcalá Street.

Hola, quería ir al hotel Palace.
Hi, I'd like to go to the Palace Hotel.
¿Puede esperar aquí un momento, por favor?
Could you please wait here for a moment?
¿Está libre / ocupado?
Is this taxi available / busy?
¿Puede bajar / subir la ventanilla, por favor?
Could you open / close the window, please?

HABLAR DEL TIEMPO

¿Qué tiempo hace hoy?
What is the weather like today?

Hace frío.
It's cold.

Hace calor.
It's hot.

Llueve / Está lloviendo.
It's raining.

Nieva / Está nevando.
It's snowing.

Suben / Bajan las temperaturas.
Temperatures are going up / down.

Lo siento, perdón por el retraso.
I'm sorry for the delay.

Perdone, ¿le importa si fumo?
Excuse me, do you mind if I smoke?
Disculpe, ¿se puede fumar aquí?
Excuse me, is smoking allowed?
Disculpe, ¿puede abrir / cerrar la ventana?
Excuse me, could you open / close the window?
Perdone, ¿me permite pasar?
Excuse me, can you let me through?

EN LA FARMACIA

Buenos días, quería algo para el dolor de cabeza.
Good morning, I'd like something for a headache.
Hola, quería tomarme la tensión.
Hi, I'd like to have my blood pressure taken.

calmante	painkiller
laxante	laxative
sal de frutas	fruit salts
analgésico	painkiller
termómetro	thermometer
alcohol	alcohol
pastillas para el mareo	motion-sickness pills

¿Hace falta receta para este medicamento?
Do I need a prescription for this medication?

EN EL MÉDICO

Tengo náuseas	I feel sick to my stomach
Soy alérgico a...	I'm allergic to...
Soy diabético	I'm diabetic
Estoy embarazada	I'm pregnant.
Estoy estreñido	I'm constipated
Tengo diarrea	I have diarrhea
¿Es grave?	Is it serious?

Por favor, ¿pueden avisar a un médico?
Can you call a doctor, please?
¿Dónde hay un hospital?
Where can I find a hospital?
Hola, quería pedir cita para la consulta del doctor...
Hi, I'd like to make an appointment with the doctor...

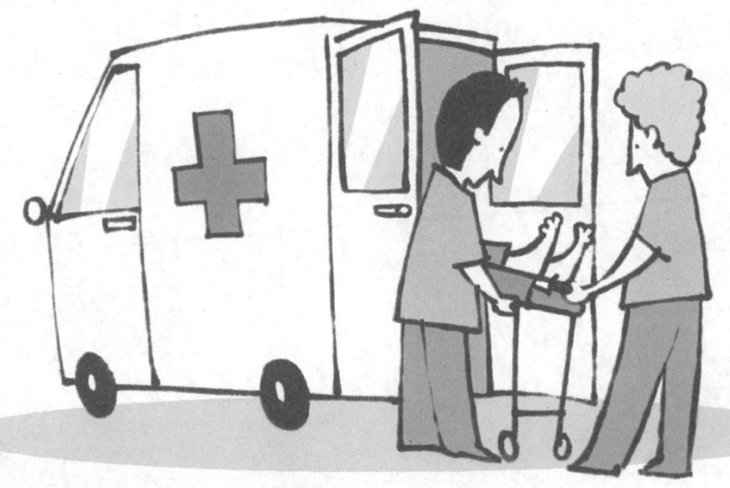

tomar una medicina	take medicine
posología	dosage
ponerse una inyección	get an injection
recetar un medicamento	prescribe medication

APÉNDICE GRAMATICAL

ARTÍCULO

	SINGULAR	PLURAL
MASCULINO	el: *the*	los: *the*
FEMENINO	la: *the*	las: *the*

Ejemplos: *El niño / la niña. Los niños / las niñas.*

PRONOMBRES PERSONALES

• SUJETO / SUBJECT

SINGULAR	PLURAL
yo: *I* tú: *you* él / ella: *he, she* usted*: *you*	nosotros, as: *we* vosotros, as: *you* ellos, as: *they* ustedes: *you*

**Usted* es la forma de cortesía de *tú.*

Ejemplos: *Tú eres de Madrid.*
Nosotros estamos en casa.

• OBJETO DIRECTO / DIRECT OBJECT

SINGULAR	PLURAL
lo*: *him, it* la: *her, it*	los: *them* las: *them*

*También *le* si se refiere a personas.

Ejemplos: *A Juan hace tiempo que no lo veo.*
He perdido las llaves, ¿las has visto?

• OBJETO INDIRECTO / INDIRECT OBJECT

SINGULAR	PLURAL
le: *him, her*	les: *them*

Ejemplos: *Le mandé una carta a Pablo.*
Les pedí que se fueran.

- **OBJETO INDIRECTO + OBJETO DIRECTO**

SE + { LO / LA / LOS / LAS

Ejemplos: *¿Se lo has regalado (el libro a Juan)?*
Se las han dado (las llaves a Pedro y Rosa).

- ***CON* + PRONOMBRE**

SINGULAR
conmigo: *with me* contigo: *with you* con él / ella / usted: *with him, her, you*

PLURAL
con nosotros, as: *with us* con vosotros, as: *with you* con ellos / ellas / ustedes: *with them, you*

Ejemplos: *Ven conmigo al cine.*
Prefiero ir con ellos.

ADJETIVOS Y PRONOMBRES DEMOSTRATIVOS

	SINGULAR	PLURAL
MASCULINO	este: *this* ese: *that* aquel: *that*	estos: *these* esos: *those* aquellos: *those*
FEMENINO	esta: *this* esa: *that* aquella: *that*	estas: *these* esas: *those* aquellas: *those*

Ejemplos: *Esa chica se llama Ana.*
Estos estudiantes no trabajan.

ADJETIVOS Y PRONOMBRES POSESIVOS

• UN POSEEDOR / ONE HOLDER

SINGULAR	PLURAL
mi (mío, a): *my (mine)* tu (tuyo, a): *your (yours)* su (suyo, a): *his, her, its (his, hers)*	mis (míos, as): *my (mine)* tus (tuyos, as): *your (yours)* sus (suyos, as): *his, her, its (his, hers)*

Ejemplo: *–¿Es este mi libro?*
–No, es mío.

• VARIOS POSEEDORES / SEVERAL HOLDERS

SINGULAR	PLURAL
nuestro, a: *our (ours)* vuestro, a: *your (yours)* su (suyo, a): *their (theirs)*	nuestros, as: *our (ours)* vuestros, as: *your (yours)* sus (suyos, as): *their (theirs)*

Ejemplo: *Vuestros padres han llegado.*
Estos libros son suyos.

INDEFINIDOS

• ADJETIVOS

SINGULAR	PLURAL
un, a: *a* algún, a: *some, any* ningún, a: *no, not... any*	unos, as: *some* algunos, as: *some, any*

Ejemplos: *¿Hay alguna farmacia por aquí?*
Ningún chico de mi clase es español.
He visto unas lámparas muy bonitas en esa tienda.

• **PRONOMBRES**

SINGULAR	PLURAL
uno, a: *one* alguno, a: *one, some* ninguno, a: *none* alguien: *someone* nadie: *no one* algo: *something* nada: *nothing*	unos, as: *some* algunos, as: *some* ningunos, as: *none*

Ejemplos: *No, no hay ninguna (farmacia) / Allí hay una (farmacia).*
¿Tienes algo para la gripe? No, no tengo nada.
¿Son españoles estos chicos? Algunos sí lo son.
¿Hay alguien en casa? No, no hay nadie.

INTERROGATIVOS

qué: *what*
¿Qué es eso?

quién / quiénes: *who*
¿Quién es esa mujer? ¿Quiénes van a venir a cenar?

cuándo: *when*
¿Cuándo termina la película?

cómo: *how*
¿Cómo te llamas? ¿Cómo es Ana?

por qué: *why*
¿Por qué vienes ahora?

cuánto / cuánta / cuántos / cuántas: *how much / how many*
¿Cuánto cuesta esto? ¿Cuántas personas hay allí?

cuál / cuáles: *what / which*
¿Cuál es la fruta que más te gusta?

dónde: *where*
¿De dónde eres?

SUSTANTIVO

	Singular	Plural
Masculino	*-o*	*-s*
Femenino	*-a*	*-s*
Masc. / Fem.	*consonante*	*-es*

Ejemplos: *libro / libros*
niña / niñas
colchón / colchones

Important exceptions:
la radio / la mano / la moto
el problema / el tema / el sistema

PREPOSICIONES

a: *to*
Voy a Madrid.
bajo: *under*
El libro está bajo la mesa.
con: *with*
Estoy con mis amigos.
de: *from*
Soy de Barcelona.
desde / hasta: *from / to*
Desde el metro hasta mi casa tardo tres minutos.
en: *in*
Siempre compro en esa tienda.
entre: *between*
El hospital está entre la plaza y el museo.
hacia: *towards*
María miró hacia la ventana.
para: *for*
Este regalo es para ti.
por: *for*
Ella lo hace todo por él.
sin: *without*
Estoy sin trabajo.
sobre: *on*
Deja el libro sobre la mesa.

CONJUNCIONES

y / e *(before i-): and*
Es alto y guapo. / Es alto, guapo e inteligente.
o / u *(before -o): or*
¿Quieres el libro o la revista? / ¿Quieres este libro u otro?
ni: *neither... nor*
Juan no es ni bueno ni simpático.
pero: *but*
No tengo mucho tiempo pero creo que iré a la fiesta.
sino: *but / rather*
La caja no es blanca sino gris.
aunque: *although*
Aunque tengo tiempo, no iré a la fiesta.
así que: *so*
Ya es tarde; así que vámonos a dormir.
porque: *because*
Elena no viene hoy porque está enferma.
cuando: *when*
Cuando estuve en Francia trabajé en un colegio.

NUMERALES

• CARDINALES

1 uno
2 dos
3 tres
4 cuatro
5 cinco
6 seis
7 siete
8 ocho
9 nueve
10 diez
11 once
12 doce
13 trece
14 catorce
15 quince
16 dieciséis
17 diecisiete
18 dieciocho
19 diecinueve
20 veinte
21 veintiuno
22 veintidós
23 veintitrés
24 veinticuatro
25 veinticinco
26 veintiséis
27 veintisiete
28 veintiocho
29 veintinueve
30 treinta
31 treinta y uno
40 cuarenta
41 cuarenta y uno
50 cincuenta
51 cincuenta y uno
60 sesenta
70 setenta
80 ochenta
90 noventa
100 cien
101 ciento uno
200 doscientos
300 trescientos
400 cuatrocientos
500 quinientos
600 seiscientos
700 setecientos
800 ochocientos
900 novecientos
1.000 mil
1.100 mil cien
1.101 mil ciento uno
1.000.000 un millón

• ORDINALES

1º primero/a
2º segundo/a
3º tercero/a
4º cuarto/a
5º quinto/a
6º sexto/a
7º séptimo/a
8º octavo/a
9º noveno/a
10º décimo/a
11º undécimo/a
12º duodécimo/a
13º decimotercero/a
14º decimocuarto/a
15º decimoquinto/a
16º decimosexto/a
17º decimoséptimo/a
18º decimoctavo/a
19º decimonoveno/a
20º vigésimo/a
30º trigésimo/a
40º cuadragésimo/a
50º quincuagésimo/a
60º sexagésimo/a
70º septuagésimo/a
80º octogésimo/a
90º nonagésimo/a
100º centésimo/a

VERBOS

VERBOS REGULARES

***Note:** In the south of Spain and in Latin America, the form *ustedes (Vds.)* is used instead of *vosotros,* for both formal and informal treatment, and it is followed by the third person plural. In Argentina and other regions of America *vos* is used colloquially instead of *tú*. On the other hand, *usted (Vd.)* is used in general Spanish as a courtesy form of *tú / vos.*

CANTAR (1)

infinitivo	cantar
participio	cantado
gerundio	cantando

INDICATIVO

	PRESENTE	FUTURO SIMPLE	PRETÉRITO INDEFINIDO
Yo	canto	cantaré	canté
Tú	cantas	cantarás	cantaste
Él/Ella/Vd.	canta	cantará	cantó
Nosotros/as	cantamos	cantaremos	cantamos
Vosotros/as	cantáis	cantaréis	cantasteis
Ellos/Ellas/Vds.	cantan	cantarán	cantaron

	PRETÉRITO PERFECTO	PRETÉRITO IMPERFECTO	CONDICIONAL
Yo	he cantado	cantaba	cantaría
Tú	has cantado	cantabas	cantarías
Él/Ella/Vd.	ha cantado	cantaba	cantaría
Nosotros/as	hemos cantado	cantábamos	cantaríamos
Vosotros/as	habéis cantado	cantabais	cantaríais
Ellos/Ellas/Vds.	han cantado	cantaban	cantarían

SUBJUNTIVO

	PRESENTE
Yo	cante
Tú	cantes
Él/Ella/Vd.	cante
Nosotros/as	cantemos
Vosotros/as	cantéis
Ellos/Ellas/Vds.	canten

IMPERATIVO

	AFIRMATIVO	NEGATIVO
Tú	canta	no cantes
Vd.	cante	no cante
Vosotros/as	cantad	no cantéis
Vds.	canten	no canten

BEBER (2)

INDICATIVO

	PRESENTE	FUTURO SIMPLE	PRETÉRITO INDEFINIDO
Yo	bebo	beberé	bebí
Tú	bebes	beberás	bebiste
Él/Ella/Vd.	bebe	beberá	bebió
Nosotros/as	bebemos	beberemos	bebimos
Vosotros/as	bebéis	beberéis	bebisteis
Ellos/Ellas/Vds.	beben	beberán	bebieron

	PRETÉRITO PERFECTO	PRETÉRITO IMPERFECTO	CONDICIONAL
Yo	he bebido	bebía	bebería
Tú	has bebido	bebías	beberías
Él/Ella/Vd.	ha bebido	bebía	bebería
Nosotros/as	hemos bebido	bebíamos	beberíamos
Vosotros/as	habéis bebido	bebíais	beberíais
Ellos/Ellas/Vds.	han bebido	bebían	beberían

SUBJUNTIVO

	PRESENTE
Yo	beba
Tú	bebas
Él/Ella/Vd.	beba
Nosotros/as	bebamos
Vosotros/as	bebáis
Ellos/Ellas/Vds.	beban

infinitivo	beber
participio	bebido
gerundio	bebiendo

IMPERATIVO

	AFIRMATIVO	NEGATIVO
Tú	bebe	no bebas
Vd.	beba	no beba
Vosotros/as	bebed	no bebáis
Vds.	beban	no beban

VIVIR (3)

INDICATIVO

	PRESENTE	FUTURO SIMPLE	PRETÉRITO INDEFINIDO
Yo	vivo	viviré	viví
Tú	vives	vivirás	viviste
Él/Ella/Vd.	vive	vivirá	vivió
Nosotros/as	vivimos	viviremos	vivimos
Vosotros/as	vivís	viviréis	vivisteis
Ellos/Ellas/Vds.	viven	vivirán	vivieron

	PRETÉRITO PERFECTO	PRETÉRITO IMPERFECTO	CONDICIONAL
Yo	he vivido	vivía	viviría
Tú	has vivido	vivías	vivirías
Él/Ella/Vd.	ha vivido	vivía	viviría
Nosotros/as	hemos vivido	vivíamos	viviríamos
Vosotros/as	habéis vivido	vivíais	viviríais
Ellos/Ellas/Vds.	han vivido	vivían	vivirían

SUBJUNTIVO

	PRESENTE
Yo	viva
Tú	vivas
Él/Ella/Vd.	viva
Nosotros/as	vivamos
Vosotros/as	viváis
Ellos/Ellas/Vds.	vivan

infinitivo	vivir
participio	vivido
gerundio	viviendo

IMPERATIVO

	AFIRMATIVO	NEGATIVO
Tú	vive	no vivas
Vd.	viva	no viva
Vosotros/as	vivid	no viváis
Vds.	vivan	no vivan

LEVANTARSE (4)

The verbs constructed with *-se* are always conjugated with the pronouns *me, te, se, nos, os, se.*

INDICATIVO
PRESENTE

Yo	me levanto
Tú	te levantas
Él/Ella/Vd.	se levanta
Nosotros/as	nos levantamos
Vosotros/as	os levantáis
Ellos/Ellas/Vds.	se levantan

infinitivo	levantarse
participio	levantado
gerundio	levantándose

IMPERATIVO

	AFIRMATIVO	NEGATIVO
Tú	levántate	no te levantes
Vd.	levántese	no se levante
Vosotros/as	levantaos	no os levantéis
Vds.	levántense	no se levanten

APROBAR (5)

	Presente Indicativo	Presente Subjuntivo
Yo	apruebo	apruebe
Tú	apruebas	apruebes
Él/Ella/Vd.	aprueba	apruebe
Nosotros/as	aprobamos	aprobemos
Vosotros/as	aprobáis	aprobéis
Ellos/Ellas/Vds.	aprueban	aprueben

Imperativo

	Afirmativo	Negativo
Tú	aprueba	no apruebes
Vd.	apruebe	no apruebe
Vosotros/as	aprobad	no aprobéis
Vds.	aprueben	no aprueben

The other tenses are regular and are conjugated like CANTAR.

CERRAR (6)

	Presente Indicativo	Presente Subjuntivo
Yo	cierro	cierre
Tú	cierras	cierres
Él/Ella/Vd.	cierra	cierre
Nosotros/as	cerramos	cerremos
Vosotros/as	cerráis	cerréis
Ellos/Ellas/Vds.	cierran	cierren

Imperativo

	Afirmativo	Negativo
Tú	cierra	no cierres
Vd.	cierre	no cierre
Vosotros/as	cerrad	no cerréis
Vds.	cierren	no cierren

The other tenses are regular and are conjugated like CANTAR.

PEDIR (7)

INDICATIVO

	PRESENTE	PRETÉRITO INDEFINIDO	PRESENTE SUBJUNTIVO
Yo	pido	pedí	pida
Tú	pides	pediste	pidas
Él/Ella/Vd.	pide	pidió	pida
Nosotros/as	pedimos	pedimos	pidamos
Vosotros/as	pedís	pedisteis	pidáis
Ellos/Ellas/Vds.	piden	pidieron	pidan

IMPERATIVO

	AFIRMATIVO	NEGATIVO
Tú	pide	no pidas
Vd.	pida	no pida
Vosotros/as	pedid	no pidáis
Vds.	pidan	no pidan

The other tenses are regular and are conjugated like VIVIR.

CONOCER (8)

	PRESENTE INDICATIVO	PRESENTE SUBJUNTIVO
Yo	conozco	conozca
Tú	conoces	conozcas
Él/Ella/Vd.	conoce	conozca
Nosotros/as	conocemos	conozcamos
Vosotros/as	conocéis	conozcáis
Ellos/Ellas/Vds.	conocen	conozcan

IMPERATIVO

	AFIRMATIVO	NEGATIVO
Tú	conoce	no conozcas
Vd.	conozca	no conozca
Vosotros/as	conoced	no conozcáis
Vds.	conozcan	no conozcan

The other tenses are regular and are conjugated like BEBER.

TENER (9)

		Indicativo	
	Presente	Futuro Simple	Pretérito Indefinido
Yo	tengo	tendré	tuve
Tú	tienes	tendrás	tuviste
Él/Ella/Vd.	tiene	tendrá	tuvo
Nosotros/as	tenemos	tendremos	tuvimos
Vosotros/as	tenéis	tendréis	tuvisteis
Ellos/Ellas/Vds.	tienen	tendrán	tuvieron

	Condicional	Subjuntivo Presente
Yo	tendría	tenga
Tú	tendrías	tengas
Él/Ella/Vd.	tendría	tenga
Nosotros/as	tendríamos	tengamos
Vosotros/as	tendríais	tengáis
Ellos/Ellas/Vds.	tendrían	tengan

	Imperativo	
	Afirmativo	Negativo
Tú	ten	no tengas
Vd.	tenga	no tenga
Vosotros/as	tened	no tengáis
Vds.	tengan	no tengan

The other tenses are regular and are conjugated like BEBER.

HACER (10)

		Indicativo	
	Presente	Futuro Simple	Pretérito Indefinido
Yo	hago	haré	hice
Tú	haces	harás	hiciste
Él/Ella/Vd.	hace	hará	hizo
Nosotros/as	hacemos	haremos	hicimos
Vosotros/as	hacéis	haréis	hicisteis
Ellos/Ellas/Vds.	hacen	harán	hicieron

	Indicativo		**Subjuntivo**
	Pretérito Perfecto	**Condicional**	**Presente**
Yo	he hecho	haría	haga
Tú	has hecho	harías	hagas
Él/Ella/Vd.	ha hecho	haría	haga
Nosotros/as	hemos hecho	haríamos	hagamos
Vosotros/as	habéis hecho	haríais	hagáis
Ellos/Ellas/Vds.	han hecho	harían	hagan

	Imperativo	
	Afirmativo	**Negativo**
Tú	haz	no hagas
Vd.	haga	no haga
Vosotros/as	haced	no hagáis
Vds.	hagan	no hagan

The other tenses are regular and are conjugated like BEBER.

DECIR (11)

gerundio diciendo

	Indicativo		
	Presente	**Futuro Simple**	**Pretérito Indefinido**
Yo	digo	diré	dije
Tú	dices	dirás	dijiste
Él/Ella/Vd.	dice	dirá	dijo
Nosotros/as	decimos	diremos	dijimos
Vosotros/as	decís	diréis	dijisteis
Ellos/Ellas/Vds.	dicen	dirán	dijeron

			Subjuntivo
	Pretérito Perfecto	**Condicional**	**Presente**
Yo	he dicho	diría	diga
Tú	has dicho	dirías	digas
Él/Ella/Vd.	ha dicho	diría	diga
Nosotros/as	hemos dicho	diríamos	digamos
Vosotros/as	habéis dicho	diríais	digáis
Ellos/Ellas/Vds.	han dicho	dirían	digan

Imperativo

	Afirmativo	Negativo
Tú	di	no digas
Vd.	diga	no diga
Vosotros/as	decid	no digáis
Vds.	digan	no digan

The other tenses are regular and are conjugated like VIVIR.

PONER (12)

Indicativo

	Presente	Futuro Simple	Pretérito Indefinido
Yo	pongo	pondré	puse
Tú	pones	pondrás	pusiste
Él/Ella/Vd.	pone	pondrá	puso
Nosotros/as	ponemos	pondremos	pusimos
Vosotros/as	ponéis	pondréis	pusisteis
Ellos/Ellas/Vds.	ponen	pondrán	pusieron

			Subjuntivo
	Pretérito Perfecto	Condicional	Presente
Yo	he puesto	pondría	ponga
Tú	has puesto	pondrías	pongas
Él/Ella/Vd.	ha puesto	pondría	ponga
Nosotros/as	hemos puesto	pondríamos	pongamos
Vosotros/as	habéis puesto	pondríais	pongáis
Ellos/Ellas/Vds.	han puesto	pondrían	pongan

Imperativo

	Afirmativo	Negativo
Tú	pon	no pongas
Vd.	ponga	no ponga
Vosotros/as	poned	no pongáis
Vds.	pongan	no pongan

The other tenses are regular and are conjugated like BEBER.

SALIR (13)

INDICATIVO

	PRESENTE	FUTURO SIMPLE
Yo	salgo	saldré
Tú	sales	saldrás
Él/Ella/Vd.	sale	saldrá
Nosotros/as	salimos	saldremos
Vosotros/as	salís	saldréis
Ellos/Ellas/Vds.	salen	saldrán

	CONDICIONAL	SUBJUNTIVO PRESENTE
Yo	saldría	salga
Tú	saldrías	salgas
Él/Ella/Vd.	saldría	salga
Nosotros/as	saldríamos	salgamos
Vosotros/as	saldríais	salgáis
Ellos/Ellas/Vds.	saldrían	salgan

IMPERATIVO

	AFIRMATIVO	NEGATIVO
Tú	sal	no salgas
Vd.	salga	no salga
Vosotros/as	salid	no salgáis
Vds.	salgan	no salgan

The other tenses are regular and are conjugated like VIVIR.

VENIR (14)

gerundio viniendo

INDICATIVO

	PRESENTE	FUTURO SIMPLE	PRETÉRITO INDEFINIDO
Yo	vengo	vendré	vine
Tú	vienes	vendrás	viniste
Él/Ella/Vd.	viene	vendrá	vino
Nosotros/as	venimos	vendremos	vinimos
Vosotros/as	venís	vendréis	vinisteis
Ellos/Ellas/Vds.	vienen	vendrán	vinieron

	Condicional	Subjuntivo Presente
Yo	vendría	venga
Tú	vendrías	vengas
Él/Ella/Vd.	vendría	venga
Nosotros/as	vendríamos	vengamos
Vosotros/as	vendríais	vengáis
Ellos/Ellas/Vds.	vendrían	vengan

	Imperativo	
	Afirmativo	Negativo
Tú	ven	no vengas
Vd.	venga	no venga
Vosotros/as	venid	no vengáis
Vds.	vengan	no vengan

The other tenses are regular and are conjugated like VIVIR.

TRAER (15)

	Indicativo		Subjuntivo
	Presente	Pretérito Indefinido	Presente
Yo	traigo	traje	traiga
Tú	traes	trajiste	traigas
Él/Ella/Vd.	trae	trajo	traiga
Nosotros/as	traemos	trajimos	traigamos
Vosotros/as	traéis	trajisteis	traigáis
Ellos/Ellas/Vds.	traen	trajeron	traigan

	Imperativo	
	Afirmativo	Negativo
Tú	trae	no traigas
Vd.	traiga	no traiga
Vosotros/as	traed	no traigáis
Vds.	traigan	no traigan

The other tenses are regular and are conjugated like BEBER.

ESTAR (16)

	Indicativo		**Subjuntivo**
	Presente	**Pretérito Indefinido**	**Presente**
Yo	estoy	estuve	esté
Tú	estás	estuviste	estés
Él/Ella/Vd.	está	estuvo	esté
Nosotros/as	estamos	estuvimos	estemos
Vosotros/as	estáis	estuvisteis	estéis
Ellos/Ellas/Vds.	están	estuvieron	estén

	Imperativo	
	Afirmativo	**Negativo**
Tú	está(te)	no estés
Vd.	esté(se)	no esté
Vosotros/as	estad/estaos	no estéis
Vds.	estén(se)	no estén

The other tenses are regular and are conjugated like CANTAR.

DAR (17)

	Indicativo		**Subjuntivo**
	Presente	**Pretérito Indefinido**	**Presente**
Yo	doy	di	dé
Tú	das	diste	des
Él/Ella/Vd.	da	dio	dé
Nosotros/as	damos	dimos	demos
Vosotros/as	dais	disteis	deis
Ellos/Ellas/Vds.	dan	dieron	den

	Imperativo	
	Afirmativo	**Negativo**
Tú	da	no des
Vd.	dé	no dé
Vosotros/as	dad	no deis
Vds.	den	no den

The other tenses are regular and are conjugated like CANTAR.

IR (18)

gerundio yendo

INDICATIVO

	PRESENTE	**PRETÉRITO IMPERFECTO**
Yo	voy	iba
Tú	vas	ibas
Él/Ella/Vd.	va	iba
Nosotros/as	vamos	íbamos
Vosotros/as	vais	ibais
Ellos/Ellas/Vds.	van	iban

	INDICATIVO	**SUBJUNTIVO**
	PRETÉRITO INDEFINIDO	**PRESENTE**
Yo	fui	vaya
Tú	fuiste	vayas
Él/Ella/Vd.	fue	vaya
Nosotros/as	fuimos	vayamos
Vosotros/as	fuisteis	vayáis
Ellos/Ellas/Vds.	fueron	vayan

IMPERATIVO

	AFIRMATIVO	**NEGATIVO**
Tú	ve	no vayas
Vd.	vaya	no vaya
Vosotros/as	id	no vayáis
Vds.	vayan	no vayan

The other tenses are regular and are conjugated like VIVIR.

SER (19)

INDICATIVO

	PRESENTE	**PRETÉRITO IMPERFECTO**
Yo	soy	era
Tú	eres	eras
Él/Ella/Vd.	es	era
Nosotros/as	somos	éramos
Vosotros/as	sois	erais
Ellos/Ellas/Vds.	son	eran

	INDICATIVO	SUBJUNTIVO
	PRETÉRITO INDEFINIDO	PRESENTE
Yo	fui	sea
Tú	fuiste	seas
Él/Ella/Vd.	fue	sea
Nosotros/as	fuimos	seamos
Vosotros/as	fuisteis	seáis
Ellos/Ellas/Vds.	fueron	sean

	IMPERATIVO	
	AFIRMATIVO	NEGATIVO
Tú	sé	no seas
Vd.	sea	no sea
Vosotros/as	sed	no seáis
Vds.	sean	no sean

The other tenses are regular and are conjugated like BEBER.

SABER (20)

	INDICATIVO			SUBJUNTIVO
	PRESENTE	FUTURO SIMPLE	CONDICIONAL	PRESENTE
Yo	sé	sabré	sabría	sepa
Tú	sabes	sabrás	sabrías	sepas
Él/Ella/Vd.	sabe	sabrá	sabría	sepa
Nosotros/as	sabemos	sabremos	sabríamos	sepamos
Vosotros/as	sabéis	sabréis	sabríais	sepáis
Ellos/Ellas/Vds.	saben	sabrán	sabrían	sepan

	IMPERATIVO	
	AFIRMATIVO	NEGATIVO
Tú	sabe	no sepas
Vd.	sepa	no sepa
Vosotros/as	sabed	no sepáis
Vds.	sepan	no sepan

The other tenses are regular and are conjugated like BEBER.

OLER (21)

	PRESENTE INDICATIVO	PRESENTE SUBJUNTIVO
Yo	huelo	huela
Tú	hueles	huelas
Él/Ella/Vd.	huele	huela
Nosotros/as	olemos	olamos
Vosotros/as	oléis	oláis
Ellos/Ellas/Vds.	huelen	huelan

IMPERATIVO

	AFIRMATIVO	NEGATIVO
Tú	huele	no huelas
Vd.	huela	no huela
Vosotros/as	oled	no oláis
Vds.	huelan	no huelan

The other tenses are regular and are conjugated like BEBER.

CABER (22)

INDICATIVO

	PRESENTE	FUTURO SIMPLE	PRETÉRITO INDEFINIDO
Yo	quepo	cabré	cupe
Tú	cabes	cabrás	cupiste
Él/Ella/Vd.	cabe	cabrá	cupo
Nosotros/as	cabemos	cabremos	cupimos
Vosotros/as	cabéis	cabréis	cupisteis
Ellos/Ellas/Vds.	caben	cabrán	cupieron

	CONDICIONAL	SUBJUNTIVO PRESENTE
Yo	cabría	quepa
Tú	cabrías	quepas
Él/Ella/Vd.	cabría	quepa
Nosotros/as	cabríamos	quepamos
Vosotros/as	cabríais	quepáis
Ellos/Ellas/Vds.	cabrían	quepan

The other tenses are regular and are conjugated like BEBER.

PARTICIPIOS IRREGULARES FRECUENTES

Abrir →	Abierto
Hacer →	Hecho
Decir →	Dicho
Poner →	Puesto
Escribir →	Escrito
Volver →	Vuelto
Morir →	Muerto
Ver →	Visto

USOS DEL PASADO

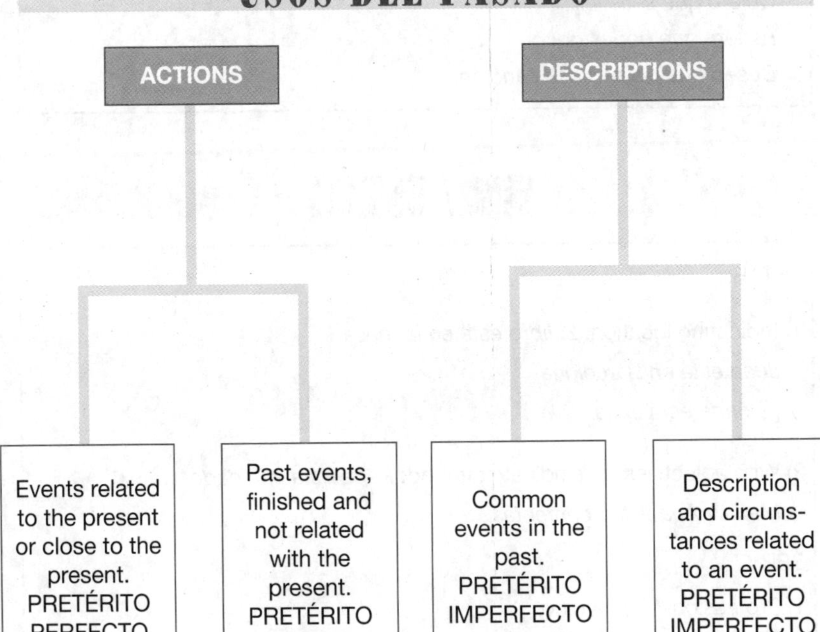

Hoy hemos estado en el cine.

Anoche estuvimos en el cine.

De pequeña iba siempre al colegio en bicicleta.

Mi abuela era alta y rubia. Tenía los ojos azules.

USOS PRINCIPALES DEL SUBJUNTIVO

1) IMPERATIVE:

A) Imperativo *tú* negativo: *no hagas, no cantes.*

B) Imperativo *usted: haga, diga, no haga, no diga.*

C) Imperativo *ustedes: digan, coman, no digan, no coman.*

2) FEELINGS:

Odio que la gente haga ruido.

Qué bien que vengas a mi cumpleaños.

3) PREFERENCES:

Me gusta que vayamos al cine juntos.

Me encanta que apruebes los exámenes.

4) WISHES:

Quiero que seas feliz.

Espero que bebas poco.

Deseo que cantéis esa canción.

SER / ESTAR

ESTAR:

1) Indicating location: *El libro está en la mesa.*

Juan está en Barcelona.

¿Dónde está el banco?

2) With adjectives that indicate a mood: *Pepe está enfadado.*

María y Ana están contentas.

SER:

1) Professions: *Es médico.*

2) Nationality: *Es americano. Es de Francia.*

3) Description: *Pepe es alto.*

María y Ana son guapas.

IR A + INFINITIVO

Used to describe immediate future plans:

Voy a ir al cine con Jaime.

¿Vais a estudiar mañana?

Vamos a salir esta noche.

ESTAR + GERUNDIO

Used to describe an action that is taking place:

Antonio está esperando el autobús.

Estamos viendo la televisión.

¿Estáis haciendo los deberes?

Curiosidades

GEOGRAPHICAL AND POLITICAL DIVISION OF SPAIN

Spain is divided into 17 Autonomous Communities (Comunidades Autónomas).

SPANISH MUSIC AND DANCES

There are different types of **flamenco** dances: fandango, malagueñas... The music originally comes from Andalucía, although there are also *guitarristas* (guitar players), *bailaores* (dancers) and *cantaores* (singers) in the rest of Spain. In some countries of Latin America, flamenco - which was brought by the first Spanish immigrants - has blended with other native musical styles to create the habaneras in Cuba, for example.

Sevillanas is a popular dance in Andalucía. The singing and dancing is accompanied by a guitar and hand clapping. The two partners change positions constantly, repeatedly approaching each other and separating again.

The **sardana** is a typical dance from Cataluña. The term comes from Sardinia, an island that was part of the old kingdom of Aragón, which included Cataluña. The dance consists of an unlimited number of people holding hands in a circle; tapping feet mark the beat of the music.
The **chotis** is the dance of Madrid. The music is slow and the couples dance closely. They take three steps to the left, three to the right, and then turn. They move in a very small area (40 cm^2).
The **muñeira** is a traditional jig from Galicia, where participants (generally a group) jump quickly from one foot to the other with their arms lifted.
The **jota** is danced in many different parts of Spain, with variations from one Autonomous Community to the other. The best known jota is the from Aragón.
The **pasodoble** is the typical music from the *corridas de toros* (bullfights). Many famous bullfighters have their own pasodoble. It is danced in pairs and consists of taking walking steps to the sound of the music.

TYPICAL PASTRIES FROM SOME FESTIVALS

The **roscón de reyes** is a rounded pancake filled with either cream or chocolate which is eaten on January 6th. Inside is a small gift, and the person who finds it has to pay for the next *roscón.*
Other Christmas pastries:
mazapán is typical from the city of Toledo and was inherited from the Arabs. It is made of almonds and sugar and comes in different shapes, especially animals.
turrón is a pastry in the shape of a chocolate bar and is made of almonds, hazelnuts, or walnuts mixed with honey and sugar. It may be either soft or hard in consistency. The most well-known turrón comes from Alicante and Jijona in the Comunidad Valenciana.
polvorones is a pastry made of flour, butter and sugar which melts in the mouth. They come in different flavors, but the most typical one is made of almonds.
Huesos de Santo and **buñuelos** are two typical pastries made on All Saints' Day (November 1st).
Torrijas are made of bread soaked in milk or wine and fried with sugar or honey and cinnamon. They are typical all over Spain at Easter.

SOME SPECIAL CELEBRATIONS AND TRADITIONS IN SPAIN

The **twelve grapes of New Year's Eve:** In order to start the new year off well, Spaniards eat twelve grapes at midnight on New Year's Eve, one for each chime of the clock located in Madrid's famous Puerta del Sol. Some people go there, but most eat their grapes at home while watching the event on T.V. Although it is a relatively recent tradition (beginning of the 20th century), it is deeply rooted among the Spanish people.

The **Reyes Magos (Wise Men):** This beautiful festivity, which takes place on the night of January 5th, is especially cherished by children. The three Wise Men - Melchor, Gaspar, and Baltasar -leave gifts next to the shoes of each family member (the children write them to ask them for the gifts they want). This tradition refers to the Gospel story in which three Wise Men from the East visited baby Jesus and brought him gold, frankincense and myrrh.

TYPICAL FESTIVALS

- CARNAVALES. The carnival is usually celebrated in the month of February. Revelers typically wear a disguise and sing in the city streets. The "entierro de la sardina" (sardine funeral) takes place the last day, right before Lent. The most well-known carnivals are in Cádiz and the Canary Islands.
- FERIA DE ABRIL. This secular festivity is celebrated in Seville. Its origins date back to the old cattle fair and the atmosphere of celebration has been preserved ever since.
- LAS FALLAS DE VALENCIA. Held on March 19, this festival consists of setting a light sculptures made of papier mâché, called *ninots.*
- LOS SANFERMINES. This festivity is celebrated on July 7 and honors San Fermín, the patron saint of Pamplona. The San Fermín festival has been declared an event of international cultural interest.
- SEMANA SANTA. The Holy Week religious festivity commemorates Christ's death and resurrection. The processions that follow the religious images or "pasos", some of which are of great artistic value, are very popular. This celebration attracts people from all over Spain and is celebrated in either March or April.

RECIPES

GAZPACHO

This typical dish from Andalusia, in southern Spain, is a cold soup made with tomatoes. Diced peppers, garlic, and a little bit of salt are mixed with five or six tomatoes, then water, oil, and vinegar are added to taste.

PAELLA

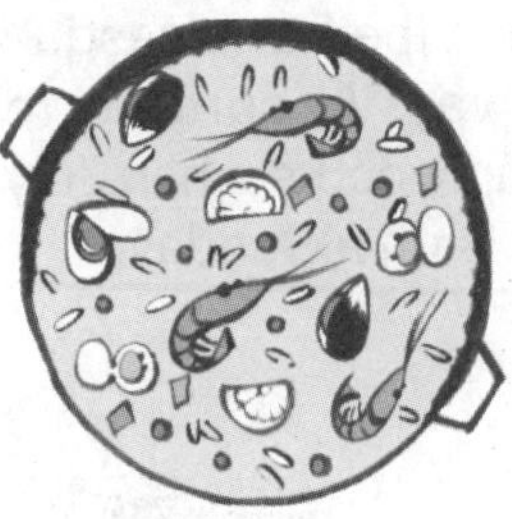

A typical dish from Valencia. Fry tomatoes, garlic, onions, and peppers, then add some mussels. When the mussels have opened, add water, bring it to a boil, and then add rice and shrimps. Finally, season the paella with a little salt and some saffron.

TORTILLA DE PATATA

Peel and thinly slice 4 or 5 potatoes and an onion. Fry them with a little salt. Then beat 4 eggs, add the fried potatoes and onion, and mix well. Put this mixture back into the oiled frying pan. Once one side is set and golden brown, turn the omelette over to cook the other side.

EL CAMINO DE SANTIAGO

Each year, thousands of pilgrims from all over the world follow the Camino de Santiago. It finishes at the cathedral of Santiago de Compostela, built to honor the apostle St. James, whose remains were found in the area in the year 813. The Jacobean route achieved its greatest splendor in the Middle Ages. It began as an essentially religious pilgrimage way, but with time it became a commercial route and a chivalresque adventure. Nowadays, many tourists follow its legendary paths and admire the Romanesque monuments along the way. According to tradition, a "Jacobean year" occurs when July 25 (Santiago's festivity) falls on a Sunday.

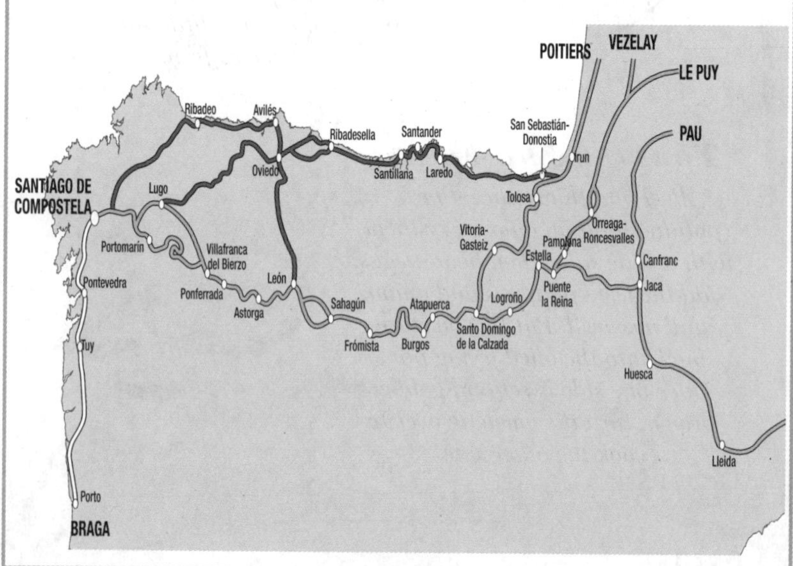

IBEROAMÉRICA / ESPAÑA

Country	Currency	Name for inhabitants
Argentina	peso	argentino
Bolivia	boliviano	boliviano
Brasil	real	brasileño
Chile	peso	chileno
Colombia	peso	colombiano
Costa Rica	colón	costarricense
Cuba	peso	cubano
Ecuador	sucre	ecuatoriano
El Salvador	colón	salvadoreño
España	euro	español
Guatemala	quetzal	guatemalteco
Honduras	lempira	hondureño
México	peso	mexicano
Nicaragua	córdoba	nicaragüense
Panamá	balboa	panameño
Paraguay	guaraní	paraguayo
Perú	nuevo sol	peruano
Puerto Rico	dólar	puertorriqueño
República Dominicana	peso	dominicano
Uruguay	peso	uruguayo
Venezuela	bolívar	venezolano